1일10분

초등 매가 어휘력

예비 초등

P3

자기 주도 학습력을 기르는 1일 10분 공부 습관!

☑ 공부가 쉬워지는 힘, 자기 주도 학습력!

자기 주도 학습력은 스스로 학습을 계획하고, 계획한 대로 실행하고, 결과를 평가하는 과정에서 향상됩니다.
이 과정을 매일 반복하여 훈련하다 보면 주체적인 학습이 가능해지며 이는 곧 공부 자신감으로 연결됩니다.

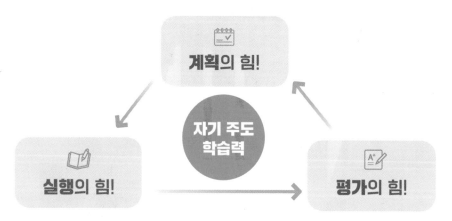

☑ 1일 10분 시리즈의 3단계 학습 로드맵

〈1일 10분〉 시리즈는 계획, 실행, 평가하는 3단계 학습 로드맵으로 자기 주도 학습력을 향상시킵니다.
또한 1일 10분씩 꾸준히 학습할 수 있는 **부담 없는 학습량**으로 매일매일 공부 습관이 형성됩니다.

① 단계 학습 계획하기

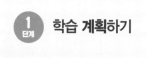

주 단위로 학습 목표를 확인하고 학습할 날짜를 스스로 계획하는 과정에서 자기 주도 학습력이 향상됩니다.

② 단계 학습 실행하기

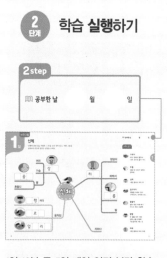

1일 10분 주 5일 매일 일정 분량 학습으로, 초등 학습의 기초를 탄탄하게 잡는 공부 습관이 형성됩니다.

③ 단계 결과 평가하기

학습을 완료하고 계획대로 실행했는지 스스로 진단하며 성취감과 공부 자신감이 길러집니다.

마인드맵으로 배우는 교과 어휘
초등 메가 어휘력

 마인드맵을 활용하여 어휘를 효과적으로 학습합니다.

마인드맵은 영국의 두뇌학자인 토니 부잔(Tony Buzan)이 만든 시각적인 사고 도구(Visual Thinking)로, 좌뇌와 우뇌를 동시에 사용하여 자신의 생각을 지도를 그리듯 이미지화한 것입니다. 전문가들은 마인드맵을 활용하면 어휘를 깊이 있게 이해하고 더 오래 기억할 수 있다고 말합니다. 〈1일 10분 초등 메가 어휘력〉은 주제를 중심으로 어휘 사이의 관계를 이해하고 사고력, 창의력, 기억력을 높여 어휘를 효과적으로 학습할 수 있도록 합니다.

 교과 선정 어휘로 구성하여 교과 학습을 도와줍니다.

〈1일 10분 초등 메가 어휘력〉은 초등 교과를 바탕으로 선정한 주제와 그와 관련된 어휘들로 이루어져 있습니다. 교과에서 선정한 어휘를 주제별로 묶어, 주제를 중심으로 어휘를 학습하면서 자연스러운 교과 학습뿐 아니라 교과목을 넘나드는 융합적인 어휘력을 기를 수 있습니다.

 다양한 어휘 활동으로 어휘력을 향상시켜 줍니다.

무작정 외우는 학습법으로는 어휘를 다양하게 활용할 수 없습니다. 〈1일 10분 초등 메가 어휘력〉은 어휘와 어휘 사이의 관계를 파악하고 다양한 쓰임새를 학습하도록 구성하였습니다. 학습 어휘를 바탕으로 연상 어휘, 유의어, 반의어, 한자어, 상위어, 하위어, 속담, 관용구, 사자성어 등 다양한 문제를 제공하여 어휘력을 향상시키는 동시에 사고력도 키워 줍니다.

 자기 주도적인 공부 습관을 길러 줍니다.

아이 스스로 공부할 수 있도록 이끌어 주려면 아이가 소화할 수 있는 학습량을 제시해 주어야 합니다. 〈1일 10분 초등 메가 어휘력〉은 1일 4쪽 분량으로 아이 혼자서도 부담 없이 재미있게 공부할 수 있도록 구성되어 있습니다. 어휘 그물을 채우고 문제를 푸는 반복적인 과정을 통해 어휘를 익히고, 스스로 어휘 그물을 그려 보며 자기 주도적인 공부 습관을 기를 수 있게 도와줍니다.

이 책의 구성

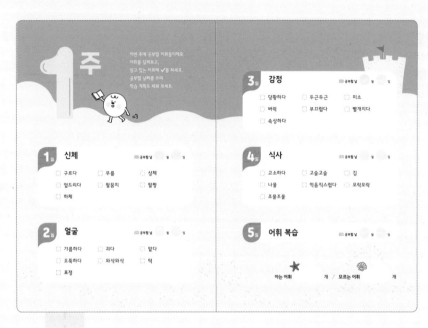

어휘 미리보기

본격적으로 학습하기 전에 주별 학습 어휘 주제를 미리 살펴봅니다. 아는 어휘와 모르는 어휘가 각각 얼마나 되는지 체크합니다.

어휘 그물

어휘의 설명을 읽고, 마인드맵 형식으로 표현한 어휘 그물의 빈칸을 채우며 주제별 어휘를 학습합니다. 어휘 그물의 학습 어휘는 생활과 밀접한 생활 어휘와 초등학교 교과에서 주요하게 다루는 어휘로 선정하였습니다.

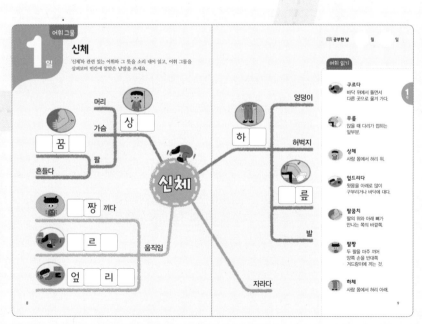

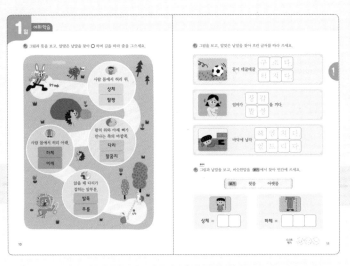

어휘 학습

문장 속에서 어휘를 활용한 문제, 어휘의 뜻을 명확하게 인지하는 문제로 확실하게 어휘를 익힙니다. 학습 어휘를 중심으로 연상 어휘, 비슷한말, 반대말, 포함하는 말, 포함되는 말을 배우며 어휘 간의 관계를 파악하고 어휘의 범위를 확장시킵니다. 속담, 사자성어, 관용구에 대해서도 알아봅니다.

어휘 복습

1~4일에서 학습한 어휘를 교과별로 분류하여 문제를 풀어 봅니다. 앞에서 배운 어휘의 뜻을 제대로 이해했는지 복습하고, 교과별로 새로 나온 어휘도 익혀 봅니다. 동시, 일기 형태의 다양한 글을 읽으며 앞에서 학습한 어휘를 익혀 봅니다.

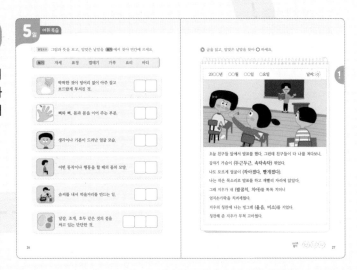

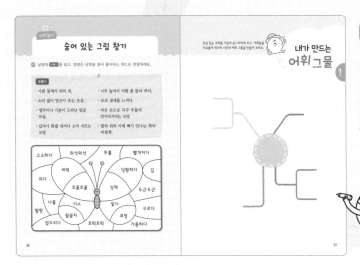

어휘 놀이 + 내가 만드는 어휘 그물

빈 곳에 들어갈 낱말 찾기, 숨어 있는 그림 찾기, 낱말 퍼즐, 빙고 등의 재미있는 놀이로 학습 어휘를 확인합니다. 관심 있는 주제와 관련 어휘들을 자유롭게 적어 나만의 어휘 그물도 만들어 봅니다.

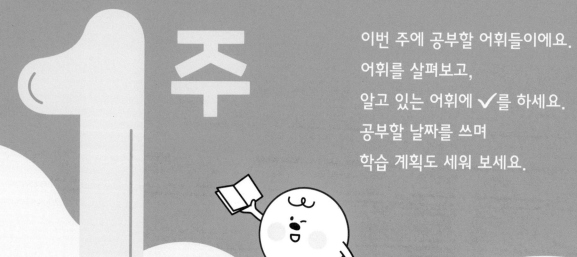

이번 주에 공부할 어휘들이에요.
어휘를 살펴보고,
알고 있는 어휘에 ✔를 하세요.
공부할 날짜를 쓰며
학습 계획도 세워 보세요.

1일 신체

📖 공부할 날 　　월　　일

- ☐ 구르다
- ☐ 무릎
- ☐ 상체
- ☐ 엎드리다
- ☐ 팔꿈치
- ☐ 팔짱
- ☐ 하체

2일 얼굴

📖 공부할 날 　　월　　일

- ☐ 갸름하다
- ☐ 괴다
- ☐ 맡다
- ☐ 오뚝하다
- ☐ 와삭와삭
- ☐ 턱
- ☐ 표정

3일 감정

- ☐ 당황하다
- ☐ 두근두근
- ☐ 미소
- ☐ 버럭
- ☐ 부끄럽다
- ☐ 빨개지다
- ☐ 속상하다

4일 식사

- ☐ 고소하다
- ☐ 고슬고슬
- ☐ 김
- ☐ 나물
- ☐ 먹음직스럽다
- ☐ 모락모락
- ☐ 조물조물

5일 어휘 복습

⭐ 아는 어휘   개 / 🐚 모르는 어휘   개

1일

신체

'신체'와 관련 있는 어휘와 그 뜻을 소리 내어 읽고, 어휘 그물을 살펴보며 빈칸에 알맞은 낱말을 쓰세요.

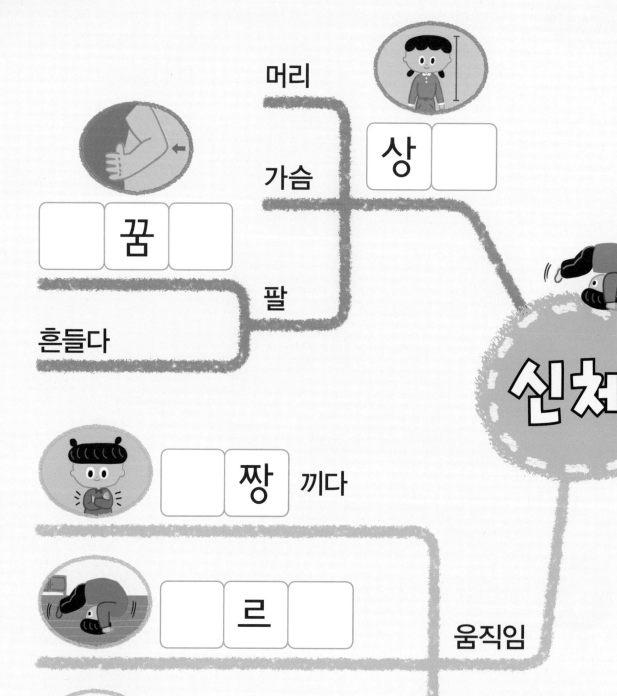

머리

가슴

상

팔

꿈

흔들다

짱 끼다

르

움직임

엎 리

엉덩이

하

허벅지

른

발

자라다

1
주

구르다
바닥 위에서 돌면서
다른 곳으로 옮겨 가다.

무릎
앉을 때 다리가 접히는
앞부분.

상체
사람 몸에서 허리 위.

엎드리다
윗몸을 아래로 많이
구부리거나 바닥에 대다.

팔꿈치
팔의 위와 아래 뼈가
만나는 쪽의 바깥쪽.

팔짱
두 팔을 마주 끼어
양쪽 손을 반대쪽
겨드랑이에 끼는 것.

하체
사람 몸에서 허리 아래.

그림과 뜻을 보고, 알맞은 낱말을 찾아 ○ 하며 길을 따라 줄을 그으세요.

출발

사람 몸에서 허리 위.

상체

팔짱

팔의 위와 아래 뼈가
만나는 쪽의 바깥쪽.

다리

팔꿈치

사람 몸에서 허리 아래.

하체

어깨

앉을 때 다리가
접히는 앞부분.

발목

무릎

도착

✍️ 그림을 보고, 알맞은 낱말을 찾아 흐린 글자를 따라 쓰세요.

공이 데굴데굴 | 구 르 다.
| 터 지 다.

엄마가 | 장 갑 | 을 끼다.
| 팔 짱 |

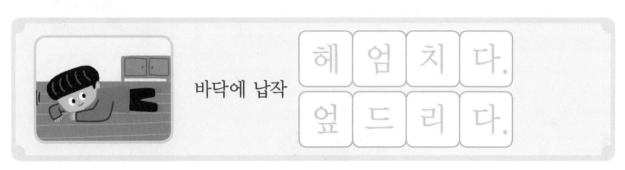

바닥에 납작 | 헤 엄 치 다.
| 엎 드 리 다.

유의어
✍️ 그림과 낱말을 보고, 비슷한말을 보기 에서 찾아 빈칸에 쓰세요.

보기   윗몸   아랫몸

상체 = ☐☐

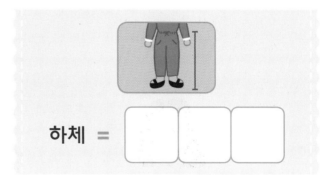

하체 = ☐☐☐

스스로
평가 😄 🙂 🙁

11

2일

얼굴

'얼굴'과 관련 있는 어휘와 그 뜻을 소리 내어 읽고, 어휘 그물을 살펴보며 빈칸에 알맞은 낱말을 쓰세요.

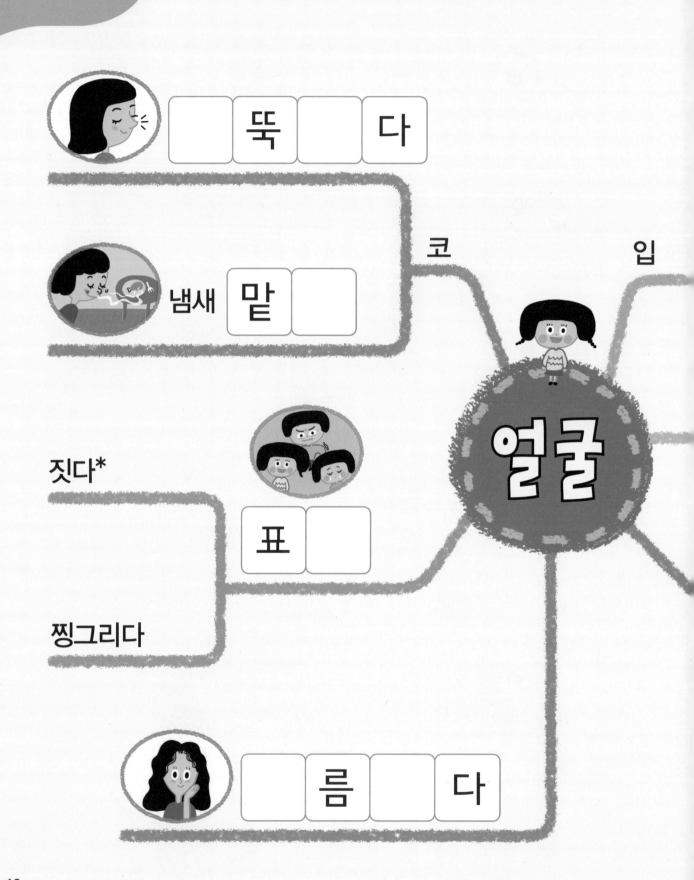

코

입

얼굴

뚝 　 다

냄새 맡 　

짓다*

표 　

찡그리다

름 　 다

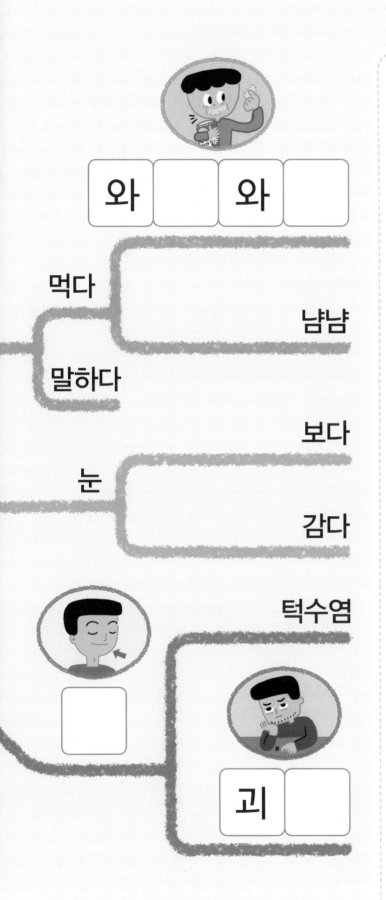

먹다
말하다
냠냠
보다
눈
감다
턱수염
괴
와　와　

*짓다: 어떤 표정이나 태도를 얼굴이나 몸에 나타내다.

어휘 읽기

갸름하다
조금 가늘고 긴 듯하다.

괴다
쓰러지거나 기울지 않게 아래를 받치다.

맡다
코로 냄새를 느끼다.

오뚝하다
위로 도드라지게 솟아 있다.

와삭와삭
과일이나 과자를 자꾸 베어 무는 소리.

턱
사람의 입 아래에 있는 뾰족하게 나온 부분.

표정
생각이나 기분이 드러난 얼굴 모습.

1주

13

✎ 그림과 낱말을 보고, 알맞은 뜻을 찾아 선으로 이으세요.

턱

•   •   위로 도드라지게
솟아 있다.

오뚝하다

•   •   코로 냄새를
느끼다.

맡다

•   •   사람의 입 아래에 있는
뾰족하게 나온 부분.

와삭와삭

•   •   과일이나 과자를
자꾸 베어 무는 소리.

✎ 그림을 보고, ❓에 들어갈 알맞은 낱말을 찾아 그 칸을 색칠하세요.

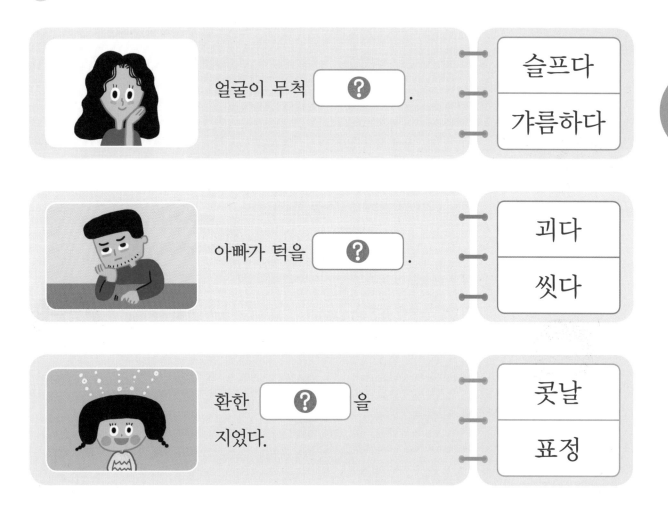

얼굴이 무척 ❓ .

슬프다

갸름하다

아빠가 턱을 ❓ .

괴다

씻다

환한 ❓ 을 지었다.

콧날

표정

연상 어휘
✎ 그림을 보고, 떠오르는 낱말을 보기 에서 찾아 빈칸에 쓰세요.

보기   따갑다   턱수염

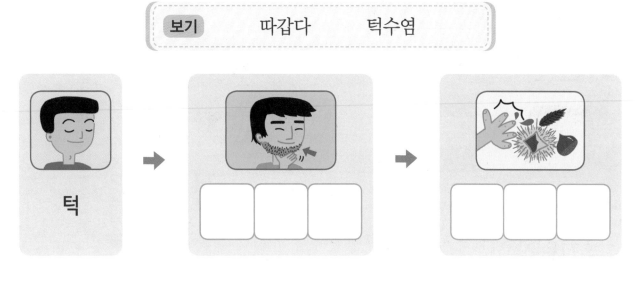

턱

스스로
평가 😆 🙂 😣

3일

어휘 그물

감정

'감정'과 관련 있는 어휘와 그 뜻을 소리 내어 읽고, 어휘 그물을 살펴보며 빈칸에 알맞은 낱말을 쓰세요.

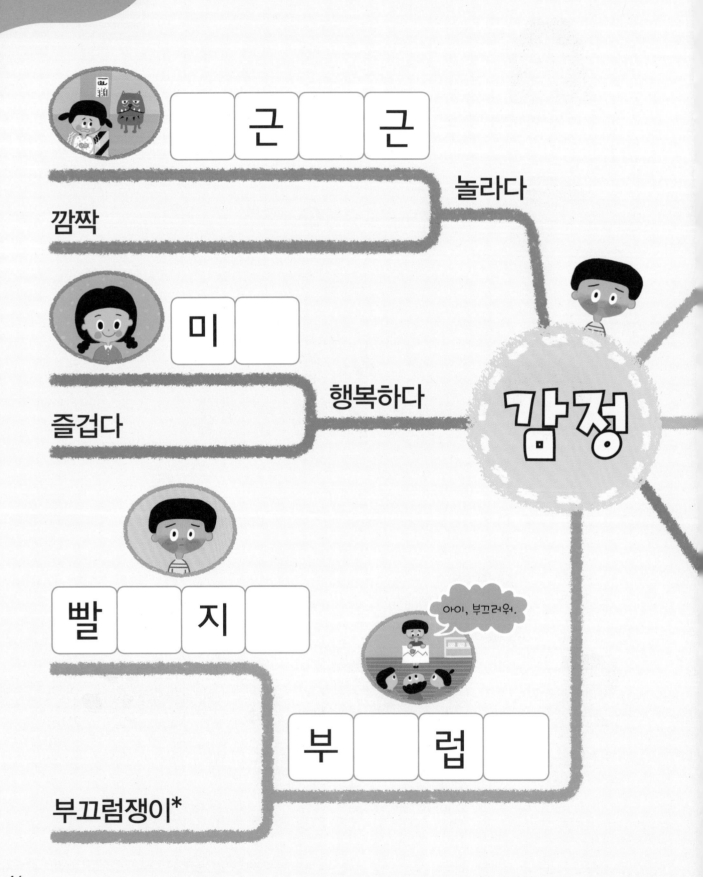

□ 근 □ 근

놀라다

깜짝

미 □

즐겁다

행복하다

감정

빨 □ 지 □

부 □ 럽 □

아이, 부끄러워.

부끄럼쟁이*

16

속 □ 하 □

□ 황 □ 다

□ □ 럭

화내다

무섭다

*부끄럼쟁이: 부끄럼을 많이 타는 사람.

어휘 읽기

 당황하다
너무 놀라서 어쩔 줄 몰라
하다.

 두근두근
몹시 놀라거나 설레거나
불안해서 가슴이 뛰는 모양.

 미소
소리 없이 빙긋이 웃는
웃음.

 버럭
갑자기 화를 내거나 소리
지르는 모양.

 부끄럽다
창피하거나 남 앞에서
수줍다.

 빨개지다
빨갛게 되다.

 속상하다
화가 나거나 걱정스러운
일로 마음이 아프다.

1
주

✏️ 그림과 뜻을 보고, 알맞은 낱말을 찾아 그 칸을 색칠하세요.

화가 나거나 걱정스러운 일로
마음이 아프다.

| 즐겁다 | 속상하다 |

소리 없이 빙긋이 웃는 웃음.

| 미소 | 충치 |

빨갛게 되다.

| 빨개지다 | 갈아입다 |

창피하거나 남 앞에서 수줍다.

| 행복하다 | 부끄럽다 |

그림을 보고, ?에 들어갈 알맞은 낱말을 찾아 선으로 이으세요.

옷에 케첩이 튀어서 [?].

갑자기 소리를 [?] 질렀다.

깜짝 놀라 가슴이 [?] 뛴다.

- 버럭
- 당황하다
- 두근두근

연상 어휘

그림을 보고, 떠오르는 낱말을 보기 에서 찾아 빈칸에 쓰세요.

보기 익다 거두다

빨개지다 →

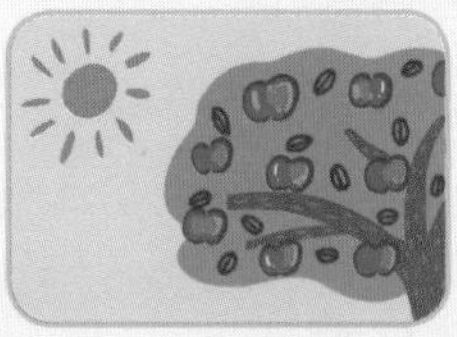

[ ][ ] →

[ ][ ][ ]

* '익다'는 '열매나 씨가 여물다'를, '거두다'는 '곡식이나 열매 따위를 따서 담거나 한데 모으다'를 뜻해요.

스스로 평가

4일

식사

'식사'와 관련 있는 어휘와 그 뜻을 소리 내어 읽고, 어휘 그물을 살펴보며 빈칸에 알맞은 낱말을 쓰세요.

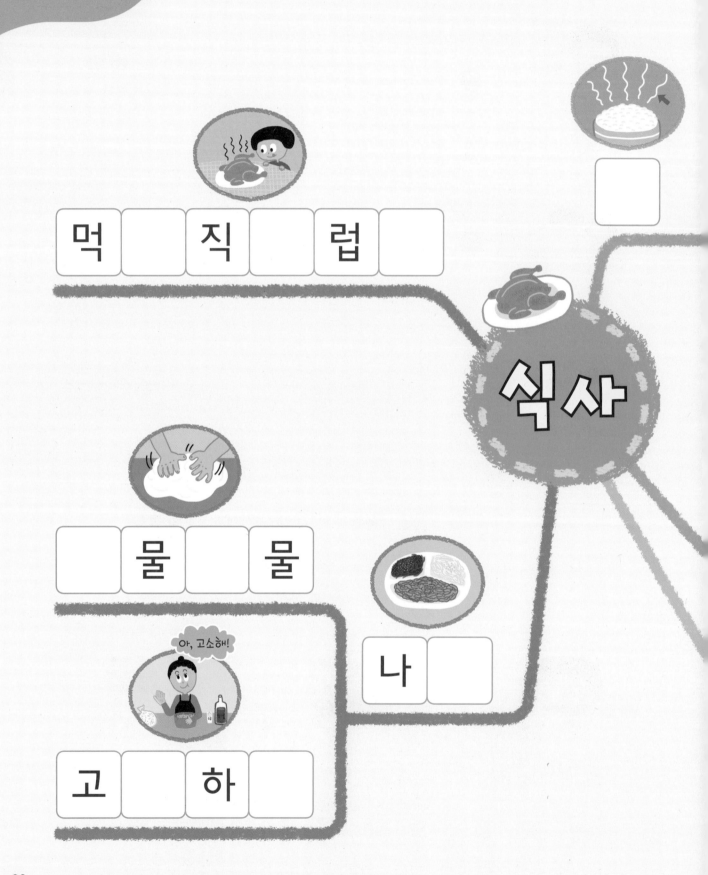

먹 [ ] 직 [ ] 럽 [ ]

[ ] 물 [ ] 물

나 [ ]

고 [ ] 하 [ ]

아, 고소해!

식사

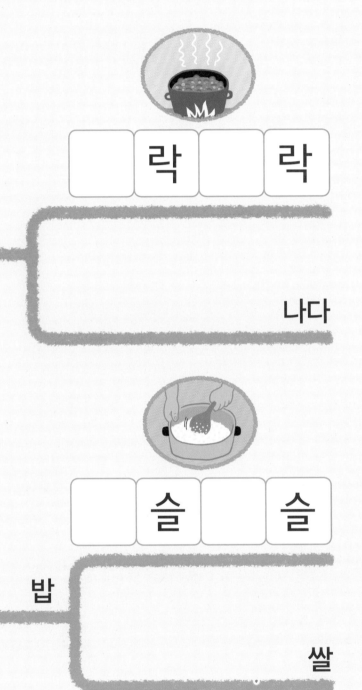

락　　락

나다

슬　　슬

밥

쌀

김치

어휘 읽기

고소하다
참기름이나 볶은 깨와 같은
냄새나 맛이 있다.

고슬고슬
밥이 질거나 되지 않고
먹기에 좋은 모양.

김
뜨거운 물이나
먹을거리에서 연기처럼
허옇게 피어오르는 것.

나물
사람이 먹을 수 있는
풀이나 나뭇잎. 또는 그것을
요리한 먹을거리.

먹음직스럽다
보기에 매우 맛있을 듯하다.

모락모락
연기, 냄새, 김 같은 것이
조금씩 자꾸 피어오르는
모양.

조물조물
작은 손으로 자꾸 주물러
만지작거리는 모양.

21

✍ 그림과 낱말을 보고, 알맞은 뜻을 찾아 줄을 그으세요.

고소하다

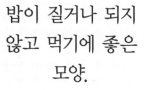

밥이 질거나 되지
않고 먹기에 좋은
모양.

먹음직스럽다

보기에 매우
맛있을 듯하다.

조물조물

참기름이나
볶은 깨와 같은
냄새나 맛이 있다.

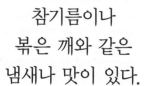

고슬고슬

작은 손으로
자꾸 주물러
만지작거리는 모양.

✍️ 그림을 보고, 알맞은 낱말을 찾아 ⭕ 하세요.

 갓 지은 밥에서 　김　 이 난다.
　멋

 굴뚝에서 연기가 　도란도란　 피어오른다.
　모락모락

 접시에 여러 가지 　튀김　 을 담았다.
　나물

연상 어휘
✍️ 그림을 보고, 떠오르는 낱말을 보기 에서 찾아 빈칸에 쓰세요.

┌─────────────────────────────┐
│ 보기 　　굴뚝　　　연기 │
└─────────────────────────────┘

모락모락 ➡️ [　][　] ➡️ [　][　]

스스로
평가

23

📖 국어 그림을 보고, 알맞은 낱말을 찾아 ◯ 하세요.

학교에서 여러 가지 [모양 / 운동] 을 한다.

[주변 / 소풍] 을 살피며 횡단보도를 건넌다.

엄마가 나물을 [꾸벅꾸벅 / 조물조물] 무친다.

가방을 메고 학교로 [출발하다. / 양보하다.]

음악에 맞춰 즐겁게 [지저귀다. / 율동하다.]

교실에서는 [부츠 / 실내화] 를 신는다.

* '운동'은 '사람이 건강을 위하여 몸을 움직이는 일'을, '주변'은 '어떤 것에서 가까운 둘레'를, '출발하다'는 '어떤 곳에 가려고 길을 떠나다'를, '율동하다'는 '가락에 맞추어 움직이다'를, '실내화'는 '건물 안에서만 신는 신'을 뜻해요.

📖 수학　그림을 보고, ❓에 들어갈 알맞은 낱말을 찾아 선으로 이으세요.

선생님 앞에 친구들이 키 ❓ 대로 섰다.

• 순서

• 첫째

민아 순서는 ❓ 이다.

• 다섯째

• 다섯 권

어항에 금붕어가 ❓ 있다.

• 여섯 채

• 여섯 마리

＊'순서'는 '정하여진 기준에서 말하는 차례'를 뜻해요.

통합교과 그림과 뜻을 보고, 알맞은 낱말을 보기 에서 찾아 빈칸에 쓰세요.

보기   자세   표정   껍데기   가루   요리   마디

딱딱한 것이 덩어리 없이 아주 잘고
보드랍게 부서진 것.

뼈와 뼈, 몸과 몸을 이어 주는 부분.

생각이나 기분이 드러난 얼굴 모습.

어떤 동작이나 행동을 할 때의 몸의 모양.

솜씨를 내서 먹을거리를 만드는 일.

달걀, 조개, 호두 같은 것의 겉을
싸고 있는 단단한 것.

20○○년   ○○월   ○○일   ○요일   날씨: ☀

오늘 친구들 앞에서 발표를 했다. 그런데 친구들이 다 나를 쳐다보니,

갑자기 가슴이 (두근두근, 속닥속닥) 뛰었다.

나도 모르게 얼굴이 (작아졌다, 빨개졌다).

나는 작은 목소리로 발표를 하고 재빨리 자리에 앉았다.

그때 지우가 내 (팔꿈치, 치아)를 톡톡 치더니

엄지손가락을 치켜세웠다.

지우의 칭찬에 나는 빙그레 (울음, 미소)를 지었다.

칭찬해 준 지우가 무척 고마웠다.

스스로
평가   😄 🙂 😞   27

숨어 있는 그림 찾기

💡 낱말의 뜻풀이 를 읽고, 알맞은 낱말을 찾아 좋아하는 색으로 색칠하세요.

뜻풀이

- 사람 몸에서 허리 위.

- 소리 없이 빙긋이 웃는 웃음.

- 생각이나 기분이 드러난 얼굴 모습.

- 갑자기 화를 내거나 소리 지르는 모양.

- 너무 놀라서 어쩔 줄 몰라 하다.

- 코로 냄새를 느끼다.

- 작은 손으로 자꾸 주물러 만지작거리는 모양.

- 팔의 위와 아래 뼈가 만나는 쪽의 바깥쪽.

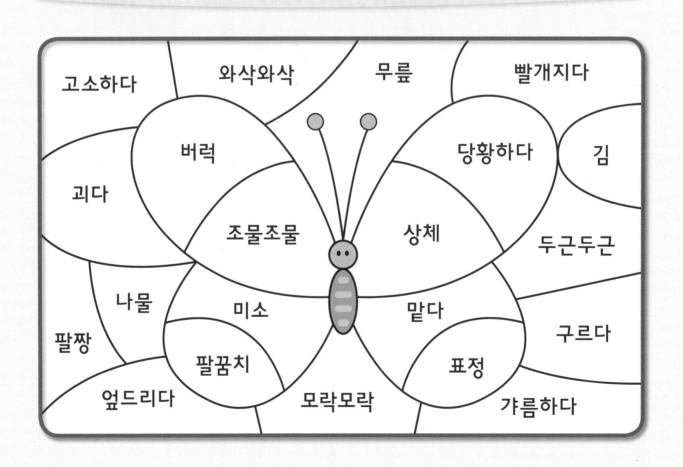

관심 있는 주제를 가운데 동그라미에 쓰고, 어휘들을
자유롭게 적으며 나만의 어휘 그물을 만들어 보세요.

내가 만드는
어휘 그물

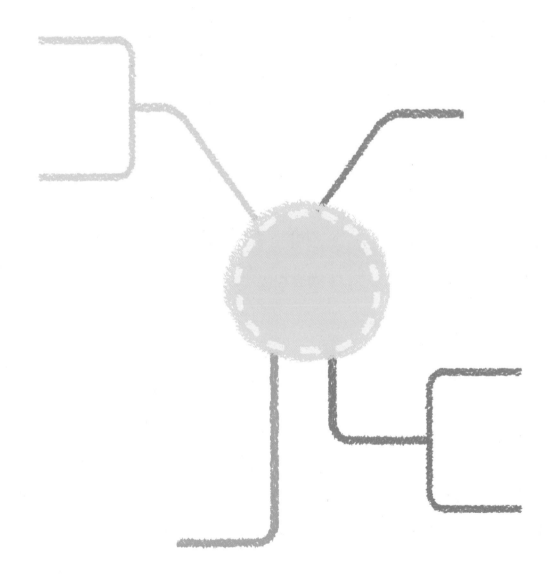

2주

이번 주에 공부할 어휘들이에요.
어휘를 살펴보고,
알고 있는 어휘에 ✔를 하세요.
공부할 날짜를 쓰며
학습 계획도 세워 보세요.

1일 운동회

📖 공부할 날   월   일

- ☐ 경기
- ☐ 깃발
- ☐ 만세
- ☐ 목청껏
- ☐ 알록달록
- ☐ 응원
- ☐ 휘날리다

2일 놀이

📖 공부할 날   월   일

- ☐ 넘어뜨리다
- ☐ 도망가다
- ☐ 돌멩이
- ☐ 술래
- ☐ 숨바꼭질
- ☐ 제기
- ☐ 팔짝팔짝

3일 놀이공원

 공부할 날 월 일

- [ ] 북적거리다
- [ ] 손뼉
- [ ] 안내도
- [ ] 오르락내리락
- [ ] 잃어버리다
- [ ] 한눈팔다
- [ ] 행진

4일 여행

공부할 날 월 일

- [ ] 공항
- [ ] 귀국하다
- [ ] 기웃기웃
- [ ] 사진
- [ ] 차표
- [ ] 출국하다
- [ ] 헤매다

5일 어휘 복습

공부할 날 월 일

아는 어휘 　　　 개 / 모르는 어휘 　　　 개

운동회

'운동회'와 관련 있는 어휘와 그 뜻을 소리 내어 읽고,
어휘 그물을 살펴보며 빈칸에 알맞은 낱말을 쓰세요.

청군

백군

이겨라!

□ 원

와~!

□ 청 □

운동회

□ 발

휘 □ 리 □

만국기*

□ 록 □ 록

*만국기: 세계 여러 나라의 국기.
*우승: 경기, 경주 따위에서 이겨 첫째를 차지함.

32

초등학교

운동장

넓다

경 □

우승*

이기다

만 □

2
주

어휘 읽기

경기
정해진 규칙을 지키면서
기술과 재주를 겨루는 일.

깃발
긴 막대기에 달린
천이나 종이로 된 부분.

만세
기쁘거나 축하할 때
두 손을 높이 들면서
크게 외치는 소리.

목청껏
있는 힘껏 큰 소리로.

알록달록
여러 가지 밝은 빛깔의
점이나 줄 등이 뒤섞여
무늬를 이룬 모양.

응원
운동 경기 등에서 선수들이
힘을 낼 수 있도록
도와주는 일.

휘날리다
깃발, 옷자락 등이 바람을
받아 거세게 펄펄 나부끼다.

✎ 그림과 낱말을 보고, 알맞은 뜻을 찾아 선으로 이으세요.

휘날리다

경기

깃발

만세

정해진 규칙을
지키면서 기술과
재주를 겨루는 일.

깃발, 옷자락 등이
바람을 받아 거세게
펄펄 나부끼다.

기쁘거나 축하할 때
두 손을 높이 들면서
크게 외치는 소리.

긴 막대기에 달린
천이나 종이로 된
부분.

✏️ 그림을 보고, ❓에 들어갈 알맞은 낱말을 찾아 그 칸을 색칠하세요.

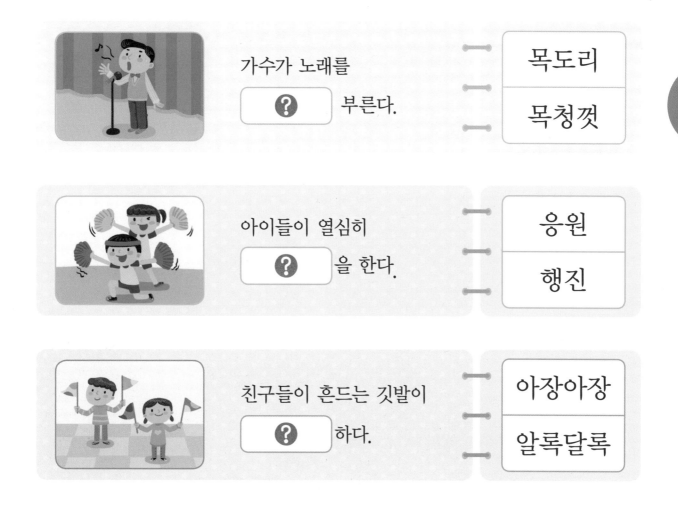

가수가 노래를 ❓ 부른다.

목도리

목청껏

아이들이 열심히 ❓ 을 한다.

응원

행진

친구들이 흔드는 깃발이 ❓ 하다.

아장아장

알록달록

상위어

✏️ 그림과 낱말을 보고, 포함하는 말을 보기 에서 찾아 빈칸에 쓰세요.

보기   경기   깃발

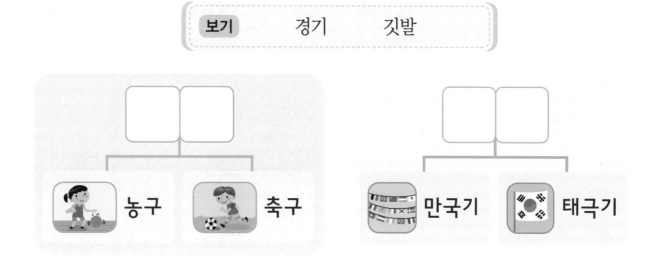

농구   축구

만국기   태극기

2일

놀이

'놀이'와 관련 있는 어휘와 그 뜻을 소리 내어 읽고, 어휘 그물을 살펴보며 빈칸에 알맞은 낱말을 쓰세요.

넘		뜨		다

돌		

비사치기*

놀이

	망		다

잡았다!

	래

쫓아가다

1, 2, 3, …

술래잡기*

숨		꼭	

제기차기*

차다

신나다

두근두근

＊**비사치기**: 손바닥만 한 납작한 돌을 세워 놓고 얼마쯤 떨어진 곳에서
　　　　　 돌을 던져 맞히거나 발로 차서 맞혀 넘어뜨리는 놀이.
＊**술래잡기**: 1. 숨바꼭질
　　　　　 2. 여럿 가운데 한 아이가 술래가 되어 다른 아이를 잡는데,
　　　　　　　 술래에게 잡힌 아이가 다음에 술래가 되는 놀이.
＊**제기차기**: 제기를 차면서 노는 놀이.

넘어뜨리다
바로 선 것을 넘어지게 하다.

도망가다
잡히지 않으려고 잽싸게
달아나다.

돌멩이
한 손에 쥘 만한 작은 돌.

술래
술래잡기에서 도망다니는
아이를 잡는 사람.

숨바꼭질
술래가 숨은 아이들을
찾아내는 놀이.

제기
납작한 쇳조각을 종이나
천으로 싸고, 끝을 깃털처럼
자른 장난감.

팔짝팔짝
가볍고 힘 있게 자꾸
뛰어오르는 모양.

✎ 그림과 뜻을 보고, 알맞은 낱말을 찾아 그 칸을 색칠하세요.

술래잡기에서 도망다니는
아이를 잡는 사람.

술래	반장

술래가 숨은 아이들을
찾아내는 놀이.

미끄럼틀	숨바꼭질

잡히지 않으려고 잽싸게
달아나다.

운동하다	도망가다

납작한 쇳조각을 종이나
천으로 싸고, 끝을 깃털처럼
자른 장난감.

제기	열쇠

✏️ 그림을 보고, ❓에 들어갈 알맞은 낱말을 찾아 선으로 이으세요.

❓ 를 손에 쥐다.

병을 실수로 ❓ .

신이 나서 ❓ 뛴다.

넘어뜨리다

돌멩이

팔짝팔짝

반의어

✏️ 그림과 낱말을 보고, 반대말을 보기 에서 찾아 빈칸에 쓰세요.

보기　　세우다　　덤비다

넘어뜨리다

↕

도망가다

↕

*'덤비다'는 '마구 대들거나 달려들다'라는 뜻이에요.

스스로 평가　😄 ☺ 🙁

3일

놀이공원

'놀이공원'과 관련 있는 어휘와 그 뜻을 소리 내어 읽고,
어휘 그물을 살펴보며 빈칸에 알맞은 낱말을 쓰세요.

| | 뻑 |

| 행 | |

병정*

| | 적 | | 리 | 다 |

놀이공원

| 오 | | 락 | | 리 | 락 |

빙글빙글

회전목마*

40

	내	

	눈	팔	

잃		버		다

*병정: 군대에서 나라를 지키는 일을 하는 사람.
*회전목마: 나무를 깎아 만든 말에 사람을 태우고 원을 그리며 빙빙 돌아가는 기구.

어휘 읽기

2주

북적거리다
많은 사람이 한곳에 모여 어지럽게 움직이다.

손뼉
손바닥과 손가락을 합친 전체 바닥.

안내도
어떤 곳을 안내하는 그림.

오르락내리락
자꾸 올라갔다 내려갔다 하는 모양.

잃어버리다
갖고 있던 물건이 자신도 모르게 아예 없어지다.

한눈팔다
앞을 바로 보지 않고 딴 데를 보다.

행진
여럿이 줄을 지어 앞으로 나아가는 것.

✎ 그림과 뜻을 보고, 알맞은 낱말을 찾아 그 칸을 색칠하세요.

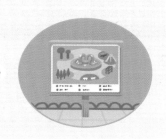

어떤 곳을 안내하는 그림.

| 일기장 |
| 안내도 |

많은 사람이 한곳에
모여 어지럽게 움직이다.

| 북적거리다 |
| 가지런하다 |

갖고 있던 물건이
자신도 모르게
아예 없어지다.

| 잃어버리다 |
| 끌어당기다 |

앞을 바로 보지 않고
딴 데를 보다.

| 가져가다 |
| 한눈팔다 |

✎ 그림을 보고, 알맞은 낱말을 찾아 흐린 글자를 따라 쓰세요.

다인이가 손뼉 을 치면서 웃는다.

계단을 오르락내리락 하다.

화려한 옷을 입은 사람들이 안녕 을 한다.

2
주

연상 어휘
✎ 그림을 보고, 떠오르는 낱말을 보기 에서 찾아 빈칸에 쓰세요.

보기   길   지도

안내도

4일

여행

'여행'과 관련 있는 어휘와 그 뜻을 소리 내어 읽고, 어휘 그물을 살펴보며 빈칸에 알맞은 낱말을 쓰세요.

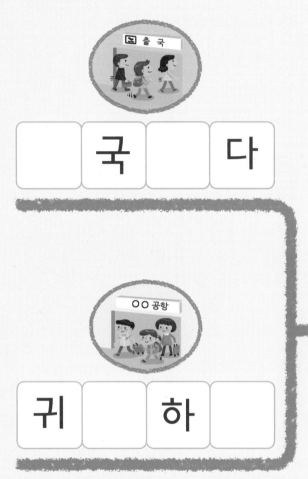

| | 국 | | 다 |

| 공 | |

여행

| 귀 | | 하 | |

둘레둘레*

| | 웃 | | 웃 |

구경하다

헤 ▢ ▢

▢ **진**

사진첩*

카메라

지도

준비

차 ▢

*둘레둘레: 사방을 이리저리 살피는 모양.
*사진첩: 찍은 사진을 모아 두는 책.

어휘 읽기

2주

공항
비행기가 뜨고 내릴 수 있게
시설을 두루 갖춘 곳.

귀국하다
다른 나라에 있던 사람이
자기 나라로 돌아가거나
돌아오다.

기웃기웃
무엇을 보려고 고개나 몸을
이쪽저쪽으로 자꾸
기울이는 모양.

사진
풍경이나 인물 등을
카메라로 찍은 것.

차표
차를 타려고 사는 표.

출국하다
머무르던 나라를 떠나다.

헤매다
어디로 가야 할지 몰라
이리저리 돌아다니다.

45

✎ 그림과 낱말을 보고, 알맞은 뜻을 찾아 줄을 그으세요.

공항

출국하다

귀국하다

차표

머무르던 나라를
떠나다.

다른 나라에 있던
사람이 자기 나라로
돌아가거나 돌아오다.

차를 타려고
사는 표.

비행기가 뜨고 내릴 수
있게 시설을
두루 갖춘 곳.

🖊 그림을 보고, 알맞은 낱말을 찾아 ○ 하세요.

카메라로 찰칵 **사진 / 음악** 을 찍는다.

공항을 돌아다니며 **기웃기웃 / 알콩달콩** 구경한다.

연못을 못 찾아서 이리저리 **헤매다. / 나누다.**

연상 어휘

🖊 그림을 보고, 떠오르는 낱말을 보기 에서 찾아 빈칸에 쓰세요.

보기   비행기   하늘

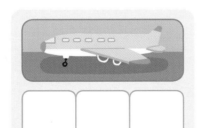

공항 ➡ ⬜⬜⬜ ➡ ⬜⬜

📖 국어 그림을 보고, 알맞은 낱말을 찾아 ⭕ 하세요.

우리 선수를 응원하다 잠깐

한눈팔았다.

잡아먹혔다.

놀이 기구가 무서워 반듯이 / 목청껏 소리친다.

기차를 놓칠까 봐 울긋불긋 / 헐레벌떡 뛰어간다.

혜빈이는 솜사탕 / 달리기 시합에서 일등을 했다.

오늘 아빠랑 비행기표를

예매했다.

미안했다.

오리 배가 물 위를 두둥실 / 화장실 떠다닌다.

* '헐레벌떡'은 '숨을 가쁘고 거칠게 몰아쉬는 모양'을, '예매하다'는 '기차표, 비행기표, 극장표 등을 미리 사 두다'를, '두둥실'은 '물건이 가볍게 떠서 움직이는 모양'을 뜻해요.

48

📖 수학 그림과 뜻을 보고, 알맞은 낱말이 쓰인 길을 따라 줄을 그으세요.

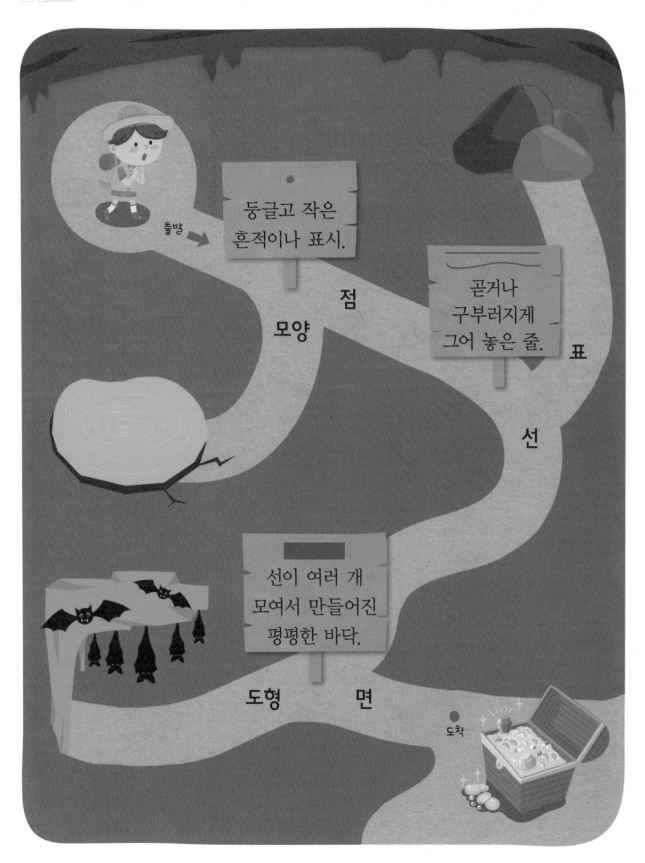

2
주

출발

둥글고 작은
흔적이나 표시.

점

모양

곧거나
구부러지게
그어 놓은 줄.

표

선

선이 여러 개
모여서 만들어진
평평한 바닥.

도형　　　면

도착

통합교과 그림과 뜻을 보고, 알맞은 낱말을 보기 에서 찾아 빈칸에 쓰세요.

보기 차례차례   심부름   등산   식당   실내   주차장

차례를 따라서 순서대로.

음식을 먹는 곳.
또는 음식을 만들어 파는 가게.

주차하려고 마련해 놓은 곳.

산에 오르는 것.

남이 시키는 일을 해 주는 것.

방이나 건물 따위의 안.

글을 읽고, 알맞은 낱말을 찾아 ◯ 하세요.

20◯◯년　◯◯월　◯◯일　◯요일　　　　　날씨: ☀

오늘은 우리 가족이 놀이공원에 가기로 한 날이었다.

나와 동생은 지하철을 타고 싶었다. 그래서 지하철역으로 가서

(**차표, 모자**)를 산 후에 지하철을 탔다.

놀이공원에 도착해서 (**우당탕우당탕, 오르락내리락**)하는

놀이 기구를 탔는데 무척 즐거웠다. 멋진 옷을 입은 사람들이

(**그릇, 깃발**)을 들고 행진하는 것도 구경했다.

그런데 사람들이 너무 많아서 동생을 잃어버릴 뻔했다.

아빠가 동생 이름을 (**목청껏, 나란히**) 불러서 찾았다.

앞으로 사람이 많은 곳에서는 동생을 잘 챙겨야겠다.

빙고를 외쳐라!

💡 낱말의 뜻풀이 를 읽고, 알맞은 낱말을 찾아 그 칸을 색칠하세요.
색칠된 칸이 가로나 세로, 대각선으로 4칸 이어지면 "빙고!"라고 외치세요.

뜻풀이

• 깃발, 옷자락 등이 바람을 받아 거세게 펄펄 나부끼다.

• 다른 나라에 있던 사람이 자기 나라로 돌아가거나 돌아오다.

• 정해진 규칙을 지키면서 기술과 재주를 겨루는 일.

• 앞을 바로 보지 않고 딴 데를 보다.

• 어떤 곳을 안내하는 그림.

• 풍경이나 인물 등을 카메라로 찍은 것.

• 술래잡기에서 도망다니는 아이를 잡는 사람.

• 가볍고 힘 있게 자꾸 뛰어오르는 모양.

술래	한눈팔다	숨바꼭질	경기
손뼉	귀국하다	알록달록	팔짝팔짝
응원	사진	목청껏	차표
돌멩이	휘날리다	도망가다	안내도

관심 있는 주제를 가운데 동그라미에 쓰고, 어휘들을
자유롭게 적으며 나만의 어휘 그물을 만들어 보세요.

내가 만드는
어휘 그물

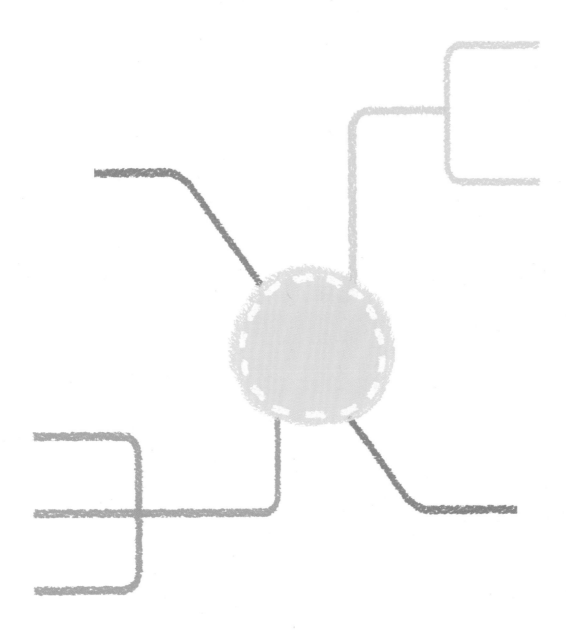

3주

이번 주에 공부할 어휘들이에요.
어휘를 살펴보고,
알고 있는 어휘에 ✓를 하세요.
공부할 날짜를 쓰며
학습 계획도 세워 보세요.

1일 운동 경기

📖 공부할 날   월   일

- [ ] 겨루다
- [ ] 넓다
- [ ] 노력하다
- [ ] 올림픽
- [ ] 우승
- [ ] 운동선수
- [ ] 차다

2일 교통

📖 공부할 날   월   일

- [ ] 나르다
- [ ] 대중교통
- [ ] 도로
- [ ] 운전
- [ ] 자가용
- [ ] 지하철
- [ ] 탈것

3일 안전

📖 공부할 날　　월　　일

- ☐ 미아
- ☐ 사고
- ☐ 신호등
- ☐ 위험하다
- ☐ 인도
- ☐ 조심하다
- ☐ 횡단보도

4일 시간

📖 공부할 날　　월　　일

- ☐ 내일
- ☐ 달력
- ☐ 보내다
- ☐ 새벽
- ☐ 어제
- ☐ 오늘
- ☐ 하루

5일 어휘 복습

📖 공부할 날　　월　　일

 아는 어휘　　　　개　/　 모르는 어휘　　　　개

1일

운동 경기

'운동 경기'와 관련 있는 어휘와 그 뜻을 소리 내어 읽고, 어휘 그물을 살펴보며 빈칸에 알맞은 낱말을 쓰세요.

우 [ ]

[ ] 림 [ ]

대회*

모으다

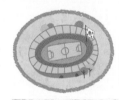

넓 [ ]

운동장

운동 경기

연습하다*

운 [ ] 선 [ ]

[ ] 력 [ ] 다

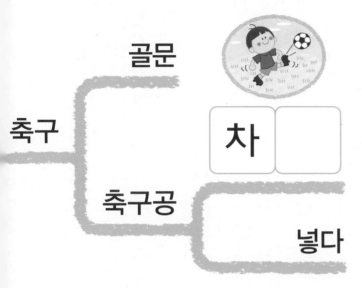

골문

축구

차☐

축구공

넣다

야구 방망이

야구

야구공

겨☐☐

*대회: 잘할 수 있는 재주를 겨루는 큰 모임.
*연습하다: 실제로 하는 것처럼 해 보며 배우거나 익히다.

어휘 읽기

 겨루다
서로 누가 이기고 지는지 알아보다.

 넓다
바닥이나 면이 아주 크다.

 노력하다
원하는 것을 이루기 위하여 몸과 마음을 다해 힘을 쓰다.

 올림픽
여러 나라가 모여서 4년에 한 번씩 하는 운동 경기 대회.

 우승
운동 경기에서 이겨 일등을 함.

 운동선수
운동을 뛰어나게 잘하여 경기에 나가는 사람.

 차다
발을 앞으로 뻗거나 위로 올리다.

3
주

57

🖋 낱말을 읽고, 알맞은 뜻을 찾아 줄을 그으세요.

운동선수   올림픽   차다   노력하다

원하는 것을 이루기 위하여 몸과 마음을 다해 힘을 쓰다.

여러 나라가 모여서 4년에 한 번씩 하는 운동 경기 대회.

운동을 뛰어나게 잘하여 경기에 나가는 사람.

발을 앞으로 뻗거나 위로 올리다.

✍️ 그림을 보고, 알맞은 낱말을 찾아 ◯ 하세요.

넓은

겨울

운동장이 사람으로 가득 찼다.

우승

수업

을 해서 기쁘다.

팔씨름으로 힘을

겨루다.

아끼다.

유의어

✍️ 그림과 낱말을 보고, 비슷한말을 보기 에서 찾아 빈칸에 쓰세요.

보기   승리   애쓰다

노력하다 = ☐ ☐ ☐

우승 = ☐ ☐

＊'애쓰다'는 '무엇을 이루려고 마음을 다해 힘을 쓰다'라는 뜻이에요.

스스로
평가

59

2일

교통

'교통'과 관련 있는 어휘와 그 뜻을 소리 내어 읽고,
어휘 그물을 살펴보며 빈칸에 알맞은 낱말을 쓰세요.

나 ☐ ☐

고속 도로*

도 ☐

☐ 전

교통

버스

대 ☐ 교 ☐

☐ 하 ☐

발달하다*

배

비행기

오토바이

자전거

탈 □

□ □ 용

*고속 도로: 차의 빠른 이동을 위해 만든 차만 다니는 길.
*발달하다: 사람이 살아가는 데 필요한 기술 등이 더 좋게 되다.

어휘 읽기

나르다
물건을 한곳에서 다른 곳으로 옮기다.

대중교통
버스, 지하철처럼 여러 사람이 타는 교통수단.

도로
사람이나 차가 잘 다닐 수 있도록 만든 넓은 길.

운전
기계나 자동차를 조종하여 움직이게 함.

자가용
집에서 사용하는 자동차.

지하철
땅속에 만든 철도 위를 전기의 힘으로 달리는 차.

탈것
자전거, 자동차, 오토바이와 같이 사람이 타고 다니는 것을 부르는 말.

✏️ 그림과 뜻을 보고, 알맞은 낱말을 찾아 그 칸을 색칠하세요.

자전거, 자동차,
오토바이와 같이 사람이
타고 다니는 것을
부르는 말.

| 탈것 |
| 풍경 |

사람이나 차가 잘 다닐 수
있도록 만든 넓은 길.

| 골목 |
| 도로 |

버스, 지하철처럼
여러 사람이 타는
교통수단.

| 텔레비전 |
| 대중교통 |

집에서 사용하는 자동차.

| 자가용 |
| 자전거 |

그림을 보고, ❓에 들어갈 알맞은 낱말을 찾아 선으로 이으세요.

❓ 을 잘하다.

❓ 을 타면 빠르다.

이삿짐을 ❓ .

지하철

나르다

운전

상위어 · 하위어

그림과 낱말을 보고, 알맞은 낱말을 보기 에서 찾아 빈칸에 쓰세요.

보기   지하철   탈것

자전거   자가용

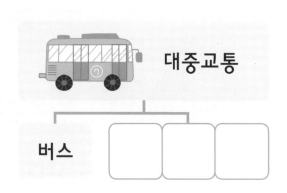
대중교통

버스

3일

안전

'안전'과 관련 있는 어휘와 그 뜻을 소리 내어 읽고, 어휘 그물을 살펴보며 빈칸에 알맞은 낱말을 쓰세요.

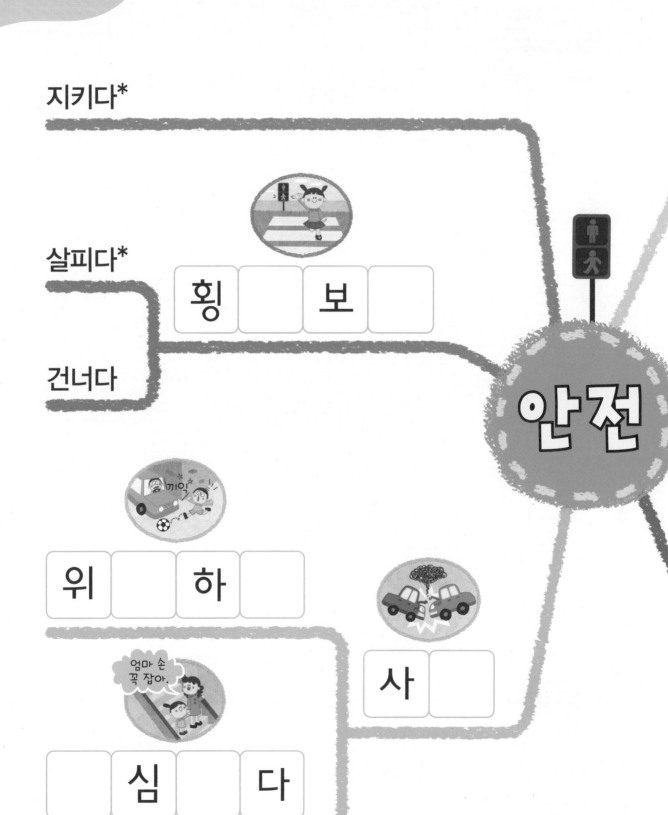

지키다*

살피다*

건너다

횡 □ 보 □

위 □ 하 □

안전

사 □

□ 심 □ 다

빨간불

| | 호 | |

초록불

걷다

| 인 | |

우측통행*

집이 어딘지 몰라요!

| | 아 |

*살피다: 여기저기 자세히 보다.
*우측통행: 길의 오른쪽으로 감.
*지키다: 약속이나 규칙 등을 어기지 않고 실제로 하다.

어휘 읽기

3
주

미아
길이나 집을 잃어버린 아이.

사고
갑자기 일어난 좋지 않은 일.

신호등
도로에서 빨간불과 초록
불이 켜졌다 꺼지며 사람과
차를 멈추거나 움직이게
하는 기계.

위험하다
나쁜 일이나 걱정할 일이
생길 수 있다.

인도
안전을 위해 사람만
다니도록 만든 길.

조심하다
잘못되지 않도록 말이나
행동에 마음을 쓰다.

횡단보도
사람이 건너다닐 수 있도록
도로에 흰색 선을 그어
만든 길.

✏️ 뜻을 읽고, 알맞은 낱말을 찾아 ⭕ 하세요.

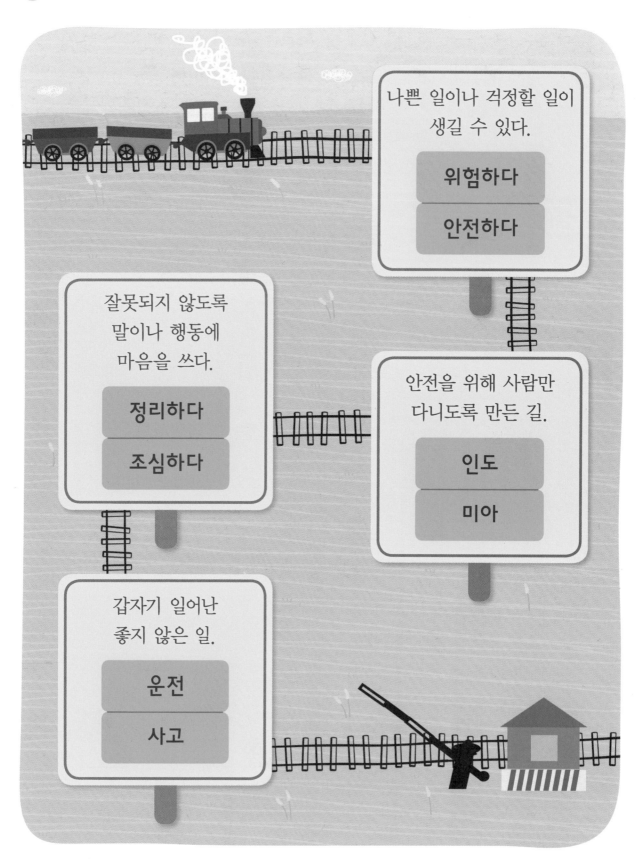

나쁜 일이나 걱정할 일이 생길 수 있다.
- 위험하다
- 안전하다

잘못되지 않도록 말이나 행동에 마음을 쓰다.
- 정리하다
- 조심하다

안전을 위해 사람만 다니도록 만든 길.
- 인도
- 미아

갑자기 일어난 좋지 않은 일.
- 운전
- 사고

✍️ 그림을 보고, 알맞은 낱말을 찾아 흐린 글자를 따라 쓰세요.

횡 단 보 도
해 바 라 기
를 건너다.

3
주

버 스
미 아
가 되어 거리를 헤매다.

신 호 등
애 벌 레
에 초록불이 켜졌다.

반의어

✍️ 그림과 낱말을 보고, 반대말을 보기 에서 찾아 빈칸에 쓰세요.

보기   안전   차도

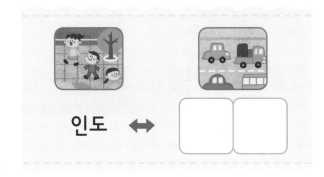

인도 ⬌ ☐ ☐

위험 ⬌ ☐ ☐

*'차도'는 '자동차만 다니도록 만든 길'을 뜻해요.

스스로
평가

4일

시간

'시간'과 관련 있는 어휘와 그 뜻을 소리 내어 읽고, 어휘 그물을
살펴보며 빈칸에 알맞은 낱말을 쓰세요.

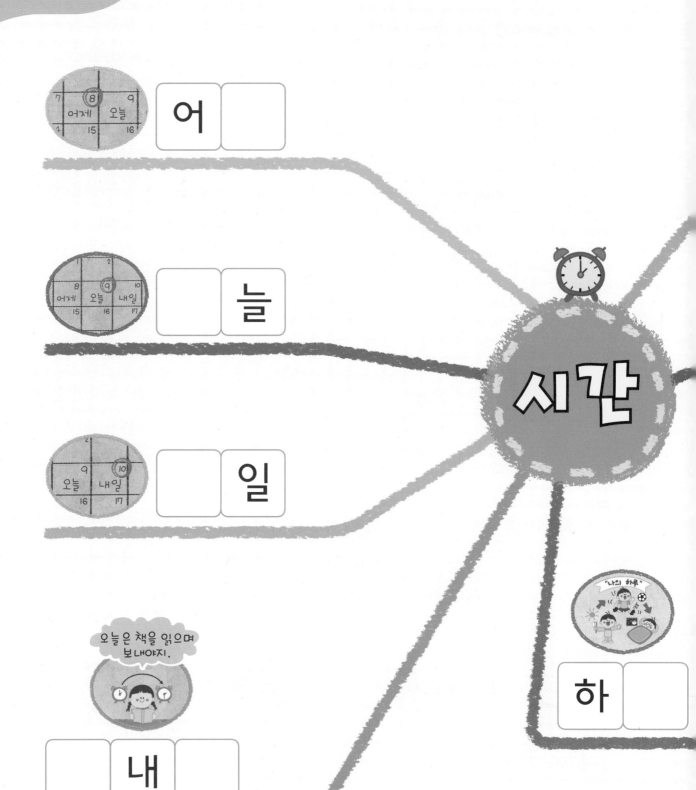

어	

	늘

	일

하	

	내	

시간

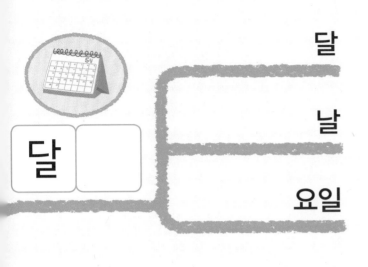

달

달

날

요일

시계

시

분

초

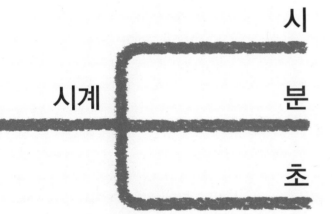

새

아침

점심

저녁

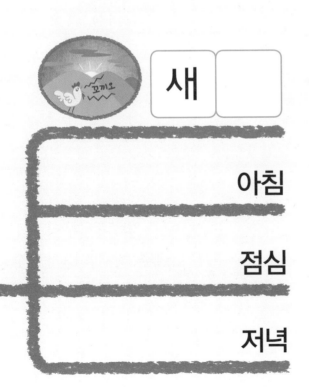

3
주

내일
오늘의 바로 다음 날.

달력
1년 동안의 달, 날, 요일
등을 날짜에 따라 적어
놓은 것.

보내다
시간을 지나가게 하다.

새벽
동쪽 하늘에서 해가 떠
환해지려고 하는 때.

어제
오늘의 바로 전날.

오늘
지금 지나가고 있는 이날.

하루
밤 12시부터 다음 날 밤
12시까지 낮과 밤이 지나는
동안.

✍ 그림과 낱말을 보고, 알맞은 뜻을 찾아 선으로 이으세요.

달력

● ● 시간을 지나가게 하다.

새벽

● ● 1년 동안의 달, 날, 요일 등을 날짜에 따라 적어 놓은 것.

하루

● ● 동쪽 하늘에서 해가 떠 환해지려고 하는 때.

보내다

● ● 밤 12시부터 다음 날 밤 12시까지 낮과 밤이 지나는 동안.

그림을 보고, ❓에 들어갈 알맞은 낱말을 찾아 그 칸을 색칠하세요.

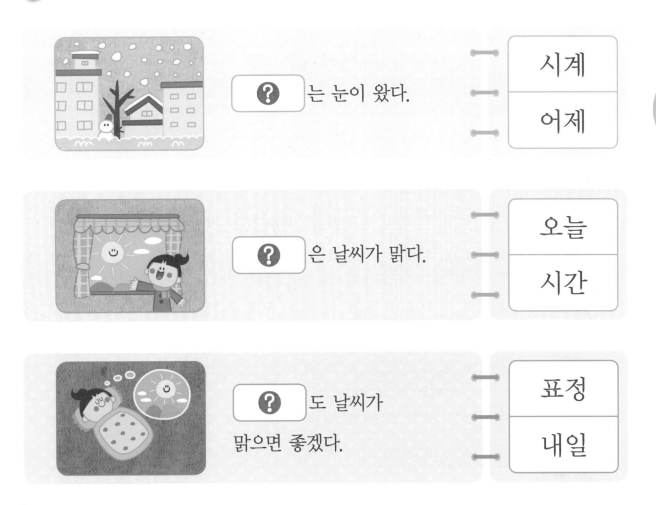

❓ 는 눈이 왔다.

시계
어제

❓ 은 날씨가 맑다.

오늘
시간

❓ 도 날씨가
맑으면 좋겠다.

표정
내일

3
주

반의어

그림과 낱말을 보고, 반대말을 보기 에서 찾아 빈칸에 쓰세요.

보기   저녁   내일

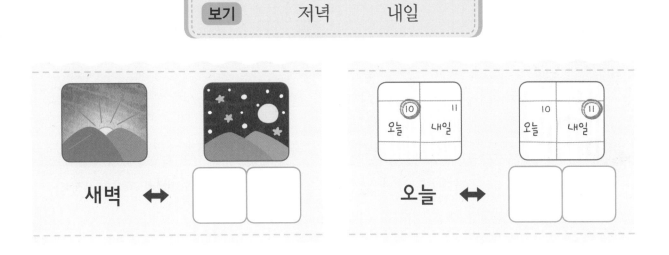

새벽 ↔ □□

오늘 ↔ □□

스스로
평가 😄 🙂 🙁

📖 국어 그림을 보고, 알맞은 낱말을 찾아 ○ 하세요.

여러 가지 탈것 / 시간 은 우리 생활을 편리하게 한다.

번개 / 날짜 가 빨리 가서 소풍날이 오면 좋겠다.

시계탑 / 수영장 앞에서 친구를 만났다.

올림픽에 나가는 선수는 우리나라를 운동 / 대표 한다.

길을 다닐 때는 표지판 / 야구공 을 잘 보아야 한다.

어제는 열이 났는데 오늘 / 내일 아침에는 괜찮아졌다.

*'날짜'는 '어느 해의 어느 달 며칠에 해당하는 날'을, '시계탑'은 '먼 곳에서도 볼 수 있도록 시계를 달아 놓은 높은 탑'을, '대표'는 '어떤 전체를 하나로 나타내는 것'을, '표지판'은 '어떤 사실을 알리기 위해 정해진 표시를 한 판'을 뜻해요.

📘 수학 그림을 보고, ❓에 들어갈 낱말과 알맞은 시각을 찾아 선으로 이으세요.

긴바늘   짧은바늘

❓ 이 2를,
긴바늘이 12를 가리켜요.

짧은바늘이 5를,
❓ 이 12를 가리켜요.

2시   5시

*'긴바늘'은 '시계에서 분을 가리키는 길이가 긴 바늘을 부르는 말'이고, '짧은바늘'은 '시계에서 시를 가리키는 길이가 짧은 바늘을 부르는 말'이에요.

📖 통합교과 뜻을 읽고, 알맞은 낱말을 찾아 줄을 그으세요.

길이나 집을
잃어버린 아이.

육교

도로에서 빨간불과
초록불이 켜졌다
꺼지며 사람과 차를
멈추고 움직이게
하는 기계.

경기장

자동차만 다니도록
만든 길.

차도

운동선수가 경기를
하고, 사람들이
경기를 볼 수 있는 곳.

신호등

사람들이 복잡한
도로 위를 안전하게
건널 수 있도록 높게
만든 다리.

미아

소라에게

소라야, 안녕?

나 지민이야. (내일, 어제) 우리 집에 놀러 올래?

내일 낮에 재미있는 (운전, 올림픽) 경기가 있대.

우리 집에서 텔레비전으로 경기를 보면서 같이 응원하자.

우리가 같이 응원하면 우리나라 선수가 꼭 (우승, 양보)할 거야!

엄마가 맛있는 떡볶이도 만들어 주신대.

내가 너 오는 시간에 맞춰서 (오토바이, 지하철)역으로

마중 나갈게.

그럼 내일 보자! 안녕!

20○○년 ○○월 ○○일

지민이가

숨어 있는 그림 찾기

💡 낱말의 뜻풀이 를 읽고, 알맞은 낱말을 찾아 좋아하는 색으로 색칠하세요.

뜻풀이

• 집에서 사용하는 자동차.

• 시간을 지나가게 하다.

• 오늘의 바로 전날.

• 발을 앞으로 뻗거나 위로 올리다.

• 물건을 한곳에서 다른 곳으로 옮기다.

• 버스, 지하철처럼 여러 사람이 타는 교통수단.

• 나쁜 일이나 걱정할 일이 생길 수 있다.

• 안전을 위해 사람만 다니도록 만든 길.

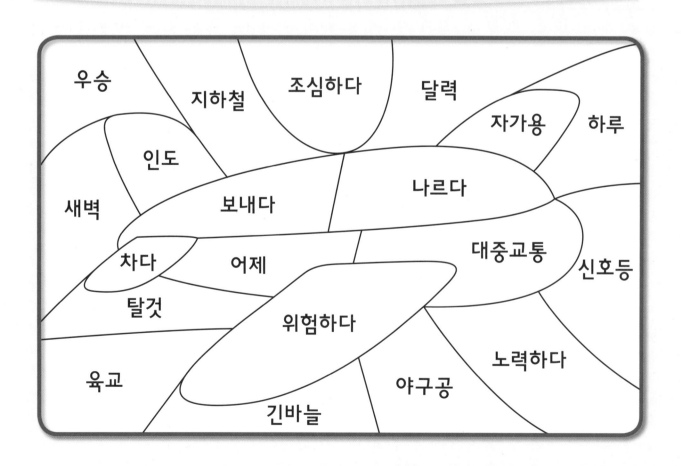

관심 있는 주제를 가운데 동그라미에 쓰고, 어휘들을
자유롭게 적으며 나만의 어휘 그물을 만들어 보세요.

내가 만드는
어휘 그물

3주

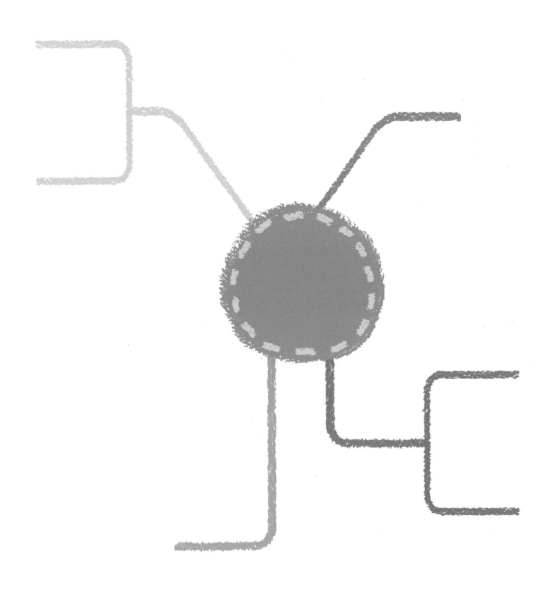

4주

이번 주에 공부할 어휘들이에요.
어휘를 살펴보고,
알고 있는 어휘에 ✓를 하세요.
공부할 날짜를 쓰며
학습 계획도 세워 보세요.

1일 하루

📖 공부할 날   월   일

- ☐ 뉘엿뉘엿
- ☐ 마치다
- ☐ 시작하다
- ☐ 일과
- ☐ 정각
- ☐ 지내다
- ☐ 해거름

2일 일기

📖 공부할 날   월   일

- ☐ 날마다
- ☐ 되풀이하다
- ☐ 떠올리다
- ☐ 마음먹다
- ☐ 반성문
- ☐ 쓰다
- ☐ 일기장

3일 학교

- ☐ 가르치다
- ☐ 교과서
- ☐ 시간표
- ☐ 예습하다
- ☐ 입학
- ☐ 집중하다
- ☐ 칭찬하다

4일 옛이야기

- ☐ 꾀
- ☐ 무섭다
- ☐ 방망이
- ☐ 상상하다
- ☐ 영웅
- ☐ 용왕
- ☐ 저승

5일 어휘 복습

⭐ 아는 어휘   개 / 🐚 모르는 어휘   개

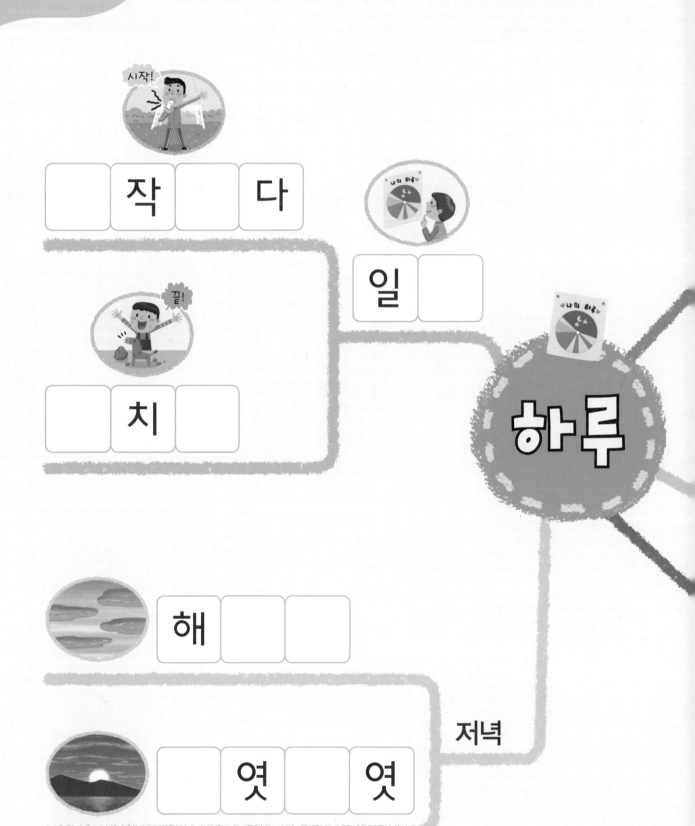

하루

'하루'와 관련 있는 어휘와 그 뜻을 소리 내어 읽고, 어휘 그물을 살펴보며 빈칸에 알맞은 낱말을 쓰세요.

작 | 다

일

치

하루

해

저녁

엿 | 엿

어휘 읽기

분

초

시간

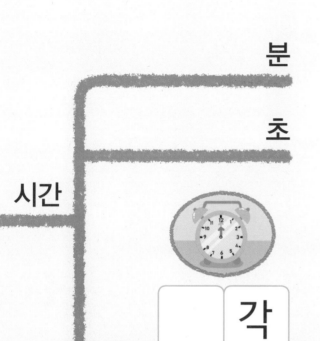

□ 각

온종일 텐트에서 지내니까 좋아!

□ 내 □

반나절*

*반나절: 하룻낮의 반.

뉘엿뉘엿
해가 곧 지려고 산이나 지평선 너머로 조금씩 넘어가는 모양.

마치다
어떤 일을 끝내다.

시작하다
어떤 일을 처음 하다. 또는 하다가 멈춘 일을 다시 하다.

일과
날마다 정해 놓고 하는 일.

정각
틀림없는 바로 그 시각.

지내다
사람이 어떤 장소에서 생활을 하면서 시간을 보내다.

해거름
해가 질 무렵.

81

✍️ 낱말을 읽고, 알맞은 뜻을 찾아 줄을 그으세요.

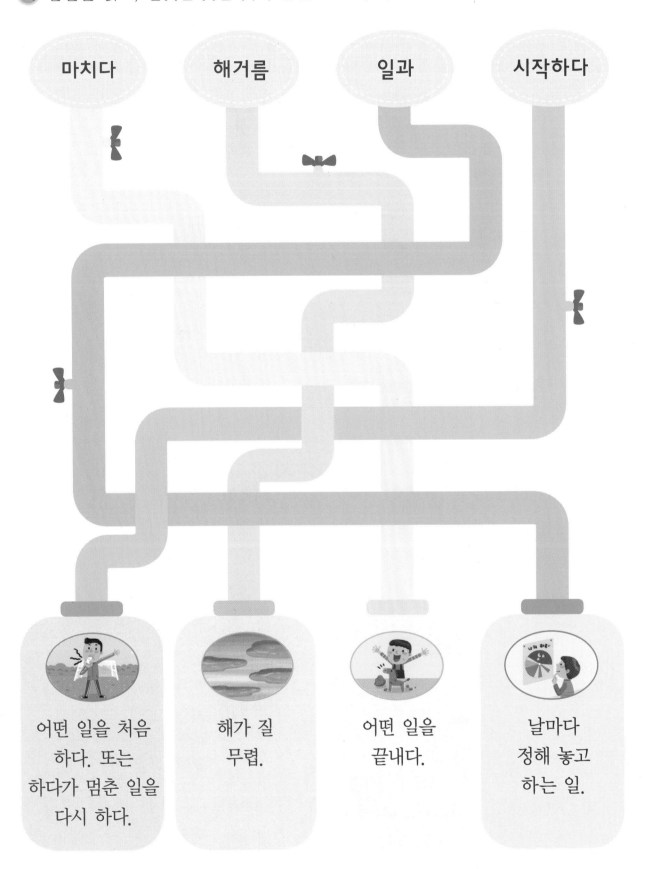

마치다　　해거름　　일과　　시작하다

어떤 일을 처음 하다. 또는 하다가 멈춘 일을 다시 하다.

해가 질 무렵.

어떤 일을 끝내다.

날마다 정해 놓고 하는 일.

✎ 그림을 보고, 알맞은 낱말을 찾아 〇 하세요.

 ◯

해가 **송알송알** / **뉘엿뉘엿** 넘어간다.

 ◯

주말은 아빠랑 캠핑을 하며 **지낸다.** / **눕는다.**

 ◯

아침 6시 **숙제** / **정각** 에 일어난다.

유의어

✎ 그림과 낱말을 보고, 비슷한말을 보기 에서 찾아 빈칸에 쓰세요.

보기   석양   끝내다

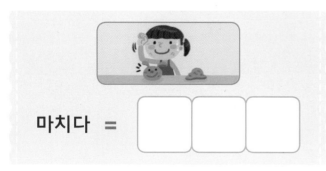

마치다 = ▢▢▢

해거름 = ▢▢

*'석양'은 '저녁때의 햇빛. 또는 저녁때의 저무는 해'라는 뜻이에요.

스스로
평가

2일

일기

'일기'와 관련 있는 어휘와 그 뜻을 소리 내어 읽고, 어휘 그물을 살펴보며 빈칸에 알맞은 낱말을 쓰세요.

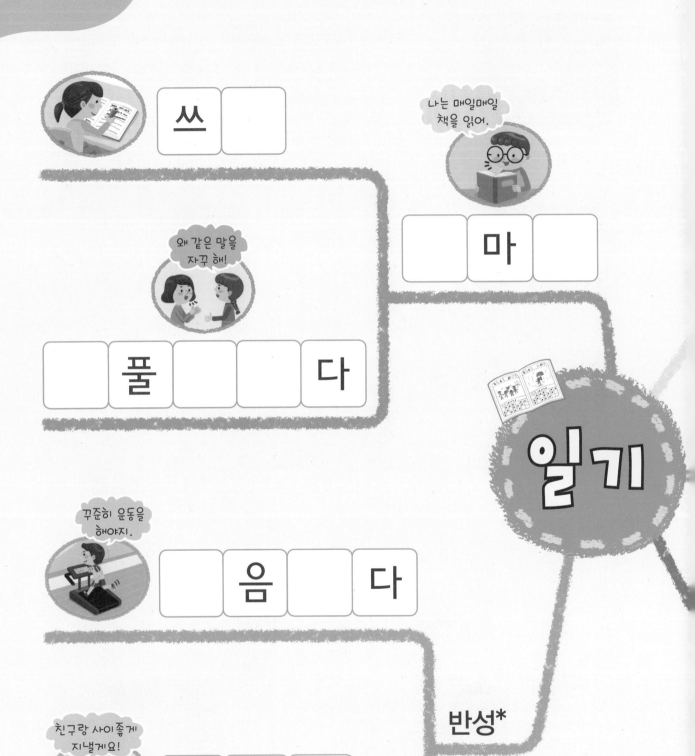

쓰 [ ]

나는 매일매일 책을 읽어.

[ ] 마 [ ]

왜 같은 말을 자꾸 해!

[ ] 풀 [ ] [ ] 다

꾸준히 운동을 해야지.

[ ] 음 [ ] 다

친구랑 사이좋게 지낼게요!

반 [ ] [ ]

일기

반성*

날씨

기

날짜

그림일기

올 ⬜ 다

*반성: 잘못한 것이 없는지 돌이켜 봄.

4
주

날마다
하루도 빠뜨리지 않고.

되풀이하다
같은 말이나 행동을 자꾸
하다.

떠올리다
어떤 것을 기억이 나게 하다.

마음먹다
무엇을 하겠다는 생각을
하다.

반성문
반성하는 내용을 쓴 글.

쓰다
연필, 볼펜, 붓 등으로
글자를 적다.

일기장
일기를 쓰는 공책.

✎ 그림과 뜻을 보고, 알맞은 낱말을 찾아 그 칸을 색칠하세요.

같은 말이나 행동을
자꾸 하다.

떨어뜨리다

되풀이하다

반성하는 내용을 쓴 글.

반성문

현관문

연필, 볼펜, 붓 등으로
글자를 적다.

쓰다

매다

어떤 것을 기억이
나게 하다.

달라붙다

떠올리다

✏️ 그림을 보고, 알맞은 낱말을 찾아 흐린 글자를 따라 쓰세요.

  밤마다  에 일기를 쓰다.

일 기 장
그 림 책

  운동을 열심히 하기로

마 음 먹 다.
반 대 하 다.

나는 덜 커 덩 / 날 마 다 책을 읽는다.

유의어

✏️ 그림과 낱말을 보고, 비슷한말을 보기 에서 찾아 빈칸에 쓰세요.

보기   반복하다   결심하다

되풀이하다
=

☐ ☐ ☐ ☐

마음먹다
=

☐ ☐ ☐ ☐

*'결심하다'는 '할 일에 대하여 어떻게 하기로 마음을 정하다'라는 뜻이에요.

스스로
평가   😆 🙂 😟

3일

학교

'학교'와 관련 있는 어휘와 그 뜻을 소리 내어 읽고, 어휘 그물을 살펴보며 빈칸에 알맞은 낱말을 쓰세요.

 ☐ 과 ☐

 ☐ ☐ 표

 집 ☐ 하 ☐

수업

학교

 ☐ 찬 ☐ 다

선생님

 가 ☐ 치 ☐

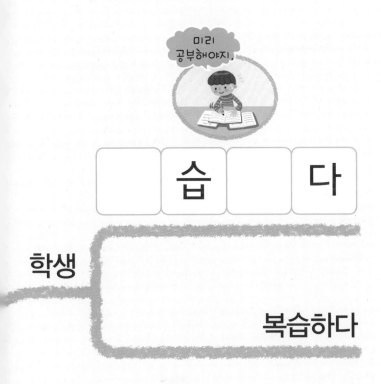

학생

습　다

복습하다

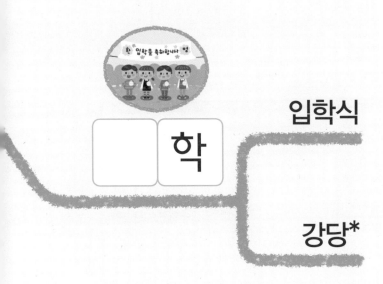

학

입학식

강당*

*강당: 여러 사람이 모여서 이야기하거나 듣는 큰 방.

4
주

가르치다
남한테 지식, 기술, 예절 등을 익히게 하거나 깨닫게 하다.

교과서
학교에서 배우는 내용이 담긴 책.

시간표
시간에 따라서 할 일을 적은 표.

예습하다
앞으로 배울 것을 미리 공부하다.

입학
학생이 되어 공부하기 위해 학교에 들어감.

집중하다
한 가지 일에 모든 힘을 쏟아붓다.

칭찬하다
좋은 점이나 착하고 훌륭한 일을 높이 치켜 말로 나타내다.

그림과 뜻을 보고, 알맞은 낱말을 찾아 ○ 하며 길을 따라 줄을 그으세요.

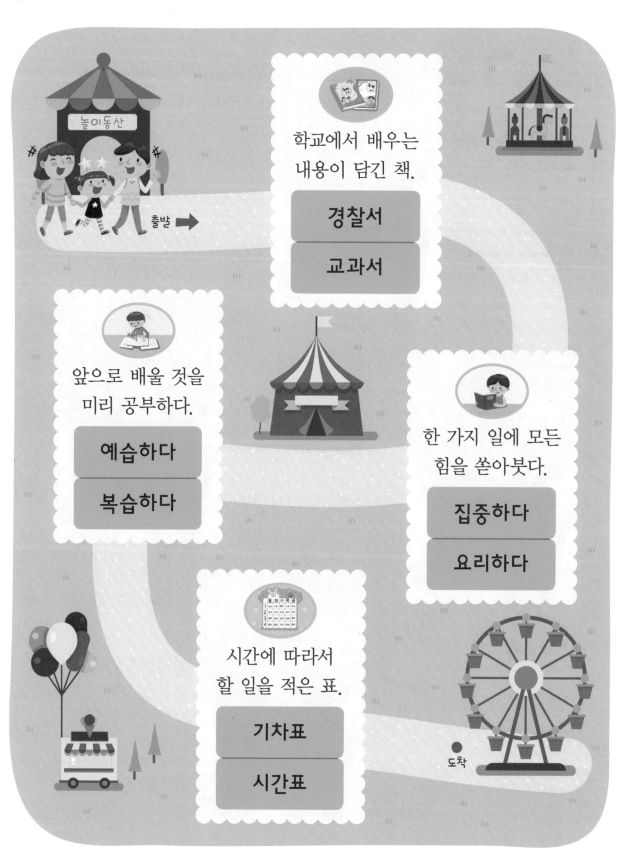

학교에서 배우는 내용이 담긴 책.
경찰서 / 교과서

앞으로 배울 것을 미리 공부하다.
예습하다 / 복습하다

한 가지 일에 모든 힘을 쏟아붓다.
집중하다 / 요리하다

시간에 따라서 할 일을 적은 표.
기차표 / 시간표

✏️ 그림을 보고, ❓에 들어갈 알맞은 낱말을 찾아 그 칸을 색칠하세요.

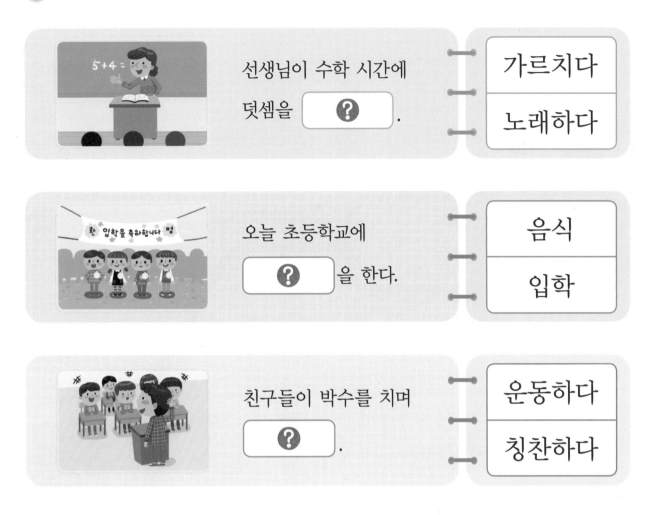

선생님이 수학 시간에 덧셈을 ❓ .

가르치다
노래하다

오늘 초등학교에 ❓ 을 한다.

음식
입학

친구들이 박수를 치며 ❓ .

운동하다
칭찬하다

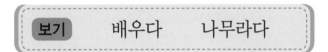

반의어
✏️ 그림과 낱말을 보고, 반대말을 보기 에서 찾아 빈칸에 쓰세요.

보기   배우다   나무라다

칭찬하다
↕

가르치다
↕

*'나무라다'는 '잘못을 꾸짖어 알아듣도록 말하다'는 뜻이에요.

스스로
평가   😁 🙂 ☹️

91

4일

옛이야기

'옛이야기'와 관련 있는 어휘와 그 뜻을 소리 내어 읽고,
어휘 그물을 살펴보며 빈칸에 알맞은 낱말을 쓰세요.

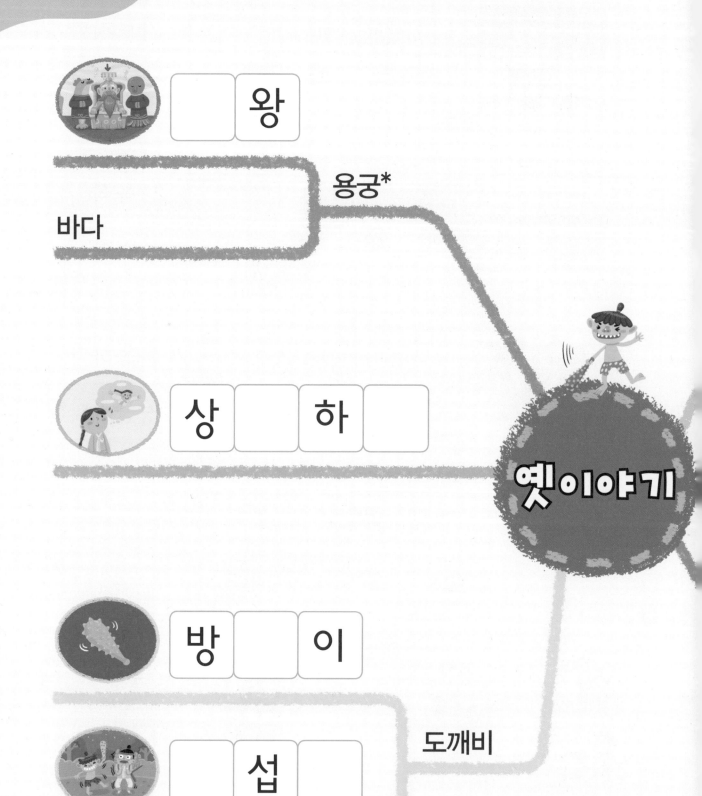

용왕

바다 ─── 용궁*

상 하

옛이야기

방 이

섭 ─── 도깨비

옥황상제*

하늘나라

여기부터가 저승이네.

[ ] 승

용감하다

내가 구하러 가겠다!

영 [ ]

도망갈 좋은 방법이 없을까?

[ ]

*옥황상제: '도교'라는 종교에서 일컫는 하느님.
*용궁: 옛이야기에서 바닷속에 있다고 하는 용왕의 궁전.

4 주

어휘 읽기

꾀
일을 꾸미거나
잘 풀어 나가는 영리한
생각이나 방법.

무섭다
성질이나 기세가 사나워
대하기 어렵다.

방망이
치거나 두드리는 데 쓰는
길고 둥그스름한 도구.

상상하다
실제로 겪지 않은 일이나
보이지 않는 것을 마음속으로
그려 보다.

영웅
지혜와 용기가 뛰어나
보통 사람이 하기 어려운
일을 해내는 사람.

용왕
바다에 살면서
비와 물을 다스린다는
용 가운데의 임금.

저승
사람이 죽은 뒤에 그 혼이
가서 산다는 세상.

✎ 그림과 뜻을 보고, 알맞은 낱말을 찾아 그 칸을 색칠하세요.

일을 꾸미거나 잘 풀어 나가는
영리한 생각이나 방법.

깨	꾀

지혜와 용기가 뛰어나 보통 사람이
하기 어려운 일을 해내는 사람.

영웅	거지

실제로 겪지 않은 일이나 보이지
않는 것을 마음속으로 그려 보다.

상상하다	미안하다

사람이 죽은 뒤에
그 혼이 가서 산다는 세상.

저승	옥상

✎ 그림을 보고, ❓에 들어갈 알맞은 낱말을 찾아 선으로 이으세요.

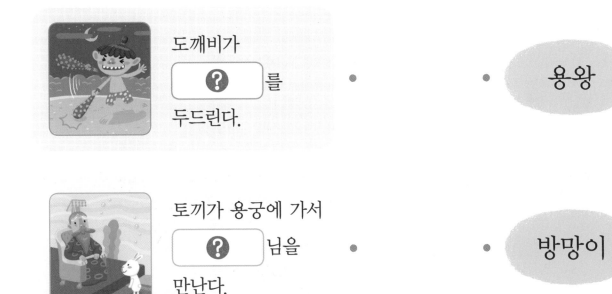

도깨비가 ❓를 두드린다. •   • 용왕

토끼가 용궁에 가서 ❓님을 만난다. •   • 방망이

나는 호랑이가 우리에 갇혀 있어도 ❓. •   • 무섭다

<u>유의어</u>

✎ 그림과 낱말을 보고, 비슷한말을 보기 에서 찾아 빈칸에 쓰세요.

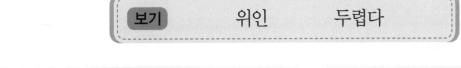

보기   위인   두렵다

무섭다 = ☐ ☐ ☐

영웅 = ☐ ☐

* '위인'은 '뛰어나고 훌륭한 사람'이라는 뜻이에요.

<u>스스로</u>
평가 😄 ☺ ☹

95

📖 국어 그림을 보고, 알맞은 낱말을 찾아 ○ 하세요.

학생들이 수업 시간에 선생님에게

집중한다.

결심한다.

친구들 앞에서 거짓말한 것을

뉘우친다.

내리친다.

비를 맞고 오들오들 떠는 고양이가

무섭다.

가엾다.

어디선가

해적

해님

이 나타나 칼을 휘두른다.

강아지

나그네

가 우물가에서 시원한 물을 마신다.

호랑이가

은혜

모자

를 갚으려고 멧돼지를 바친다.

*'뉘우치다'는 '스스로 제 잘못을 깨닫고 마음속으로 후회하다'를, '가엾다'는 '마음이 아플 만큼 불쌍하다'를, '해적'은 '배를 타고 다니면서 다른 배나 바닷가 마을에 쳐들어가 재물을 빼앗는 도둑'을, '나그네'는 '자기 고장을 떠나 다른 곳에 잠시 머물거나 떠도는 사람'을, '은혜'는 '남에게 베푸는 매우 고마운 일'을 뜻해요.

📖 수학 그림을 보고, ❓에 들어갈 알맞은 낱말을 찾아 선으로 이으세요.

연필의 ❓ 가 지우개보다 더 많다.

 수

 양

주스의 ❓ 이 물보다 더 많다.

 수

 양

잠자리가 나비보다 수가 ❓ 많다.

 더

 가장

포도주스가 양이 ❓ 적다.

더

가장

*세 컵에 담긴 주스의 양을 비교할 때는 '가장 많다, 가장 적다'로, '가장'을 넣어 써요.

통합교과 그림과 뜻을 보고, 알맞은 낱말을 **보기** 에서 찾아 빈칸에 쓰세요.

> **보기**   쑥덕쑥덕   소감   자유롭다   닮다   능력   병풍

간섭 받거나 얽매이지 않고
마음대로 할 수 있다.

어떤 일을 겪으면서 느낀 점.

일을 할 수 있는 힘이나 재주.

남이 알아듣지 못하도록
낮은 목소리로 서로 수군대며
말하는 모양.

사람 또는 사물이 서로 생김새나
성질이 비슷하다.

바람을 막거나 무엇을 가리거나
또는 장식을 하려고 방 안에 치는 물건.

Q 글을 읽고, 알맞은 낱말을 찾아 ○ 하세요.

할머니께

할머니, 안녕하세요?

그동안 잘 지내셨어요? 저는 동생이랑 사이좋게 잘 지내고 있어요.

지난 여름에 할머니 댁에서 **(뉘엿뉘엿, 방긋방긋)**

해 지는 모습을 보았던 일이 아직도 생생해요.

또 동생이랑 송아지를 만졌을 때 송아지가 제 손을

핥았던 것도 신기해서 기억에 남아요.

(반성문, 일기장)에 할머니 댁에 다녀온 일을 써서 발표했어요.

선생님께서 재미있게 잘 썼다고 **(칭찬해, 예습해)** 주셨어요.

그래서 날아갈 듯이 기분이 좋았어요.

다음에 놀러가면 할머니를 도와 송아지 먹이를 주겠다고

(마음먹었어요, 잡아먹었어요).

할머니, 그때까지 안녕히 계세요.

20○○년 ○○월 ○○일

단이 드림.

같은 글자로 끝나는 낱말

💡 낱말을 읽고, 같은 글자로 끝나는 낱말을 생각하여 빈칸에 쓰세요.

'장' 자로 끝나는 낱말

일기장 　 고추장 　 통장 　 _____장

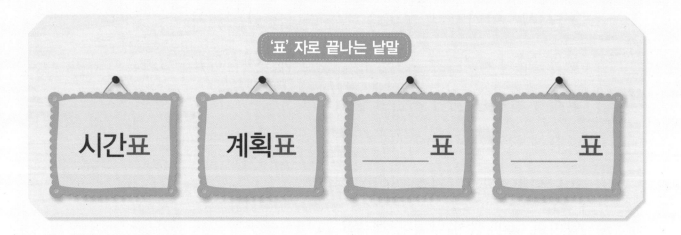

'표' 자로 끝나는 낱말

시간표 　 계획표 　 _____표 　 _____표

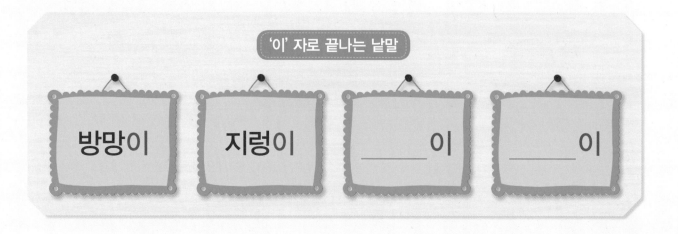

'이' 자로 끝나는 낱말

방망이 　 지렁이 　 _____이 　 _____이

100

관심 있는 주제를 가운데 동그라미에 쓰고, 어휘들을
자유롭게 적으며 나만의 어휘 그물을 만들어 보세요.

내가 만드는
어휘 그물

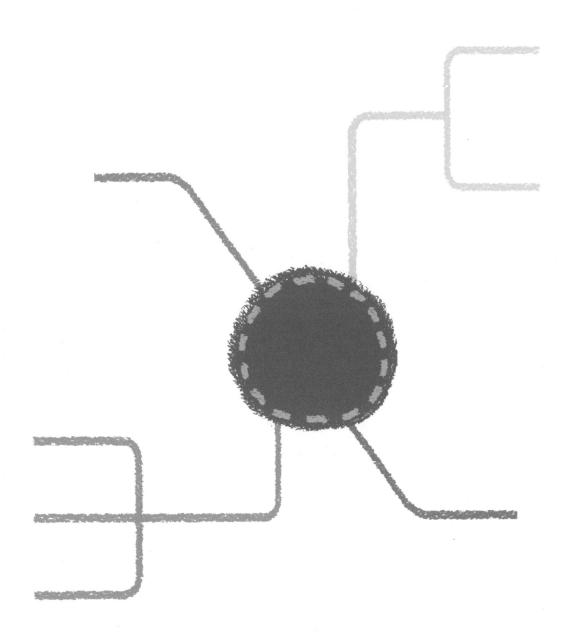

초등 교과 연계표

>> 〈1일 10분 초등 메가 어휘력〉은 초등 주요 교과에서 뽑은 어휘들과 교과 학습에 도움이 되는 어휘들로 이루어져 있습니다.

1주	일	주제	교과 및 연계 단원	
	1	신체	**국어 1-2** 가 1. 소중한 책을 소개해요 **국어 1-2** 나 8. 띄어 읽어요	**수학 1-1** 1. 9까지의 수 **통합교과 봄 1-1** 1. 학교에 가면
	2	얼굴	**국어 1-1** 가 1. 바른 자세로 읽고 쓰기 **국어 1-1** 가 2. 재미있게 ㄱ ㄴ ㄷ	**국어 1-1** 나 7. 생각을 나타내요 **통합교과 봄 1-1** 1. 학교에 가면
	3	감정	**국어 1-1** 가 4. 글자를 만들어요 **국어 1-2** 가 3. 문장으로 표현해요 **국어 1-2** 나 6. 고운 말을 해요	**국어 1-2** 나 9. 겪은 일을 글로 써요 **국어 1-2** 나 10. 인물의 말과 행동을 상상해요
	4	식사	**국어 1-2** 나 10. 인물의 말과 행동을 상상해요	**통합교과 봄 1-1** 2. 도란도란 봄 동산
	5	어휘 복습	**국어 1-1** 가 1. 바른 자세로 읽고 쓰기 **국어 1-1** 가 2. 재미있게 ㄱ ㄴ ㄷ **국어 1-1** 가 4. 글자를 만들어요 **국어 1-1** 나 6. 받침이 있는 글자 **국어 1-1** 나 7. 생각을 나타내요	**수학 1-1** 1. 9까지의 수 **통합교과 봄 1-1** 1. 학교에 가면 **통합교과 봄 1-1** 2. 도란도란 봄 동산 **통합교과 여름 1-1** 1. 이런 집 저런 집

2주	일	주제	교과 및 연계 단원	
	1	운동회	**국어 1-2** 가 1. 소중한 책을 소개해요 **국어 1-2** 가 3. 문장으로 표현해요	**통합교과 봄 1-1** 1. 학교에 가면 **통합교과 겨울 1-2** 1. 여기는 우리나라
	2	놀이	**국어 1-2** 나 8. 띄어 읽어요 **국어 1-2** 나 9. 겪은 일을 글로 써요	**통합교과 봄 1-1** 1. 학교에 가면 **통합교과 가을 1-2** 2. 현규의 추석
	3	놀이공원	**국어 1-1** 가 4. 글자를 만들어요 **국어 1-2** 가 1. 소중한 책을 소개해요	**국어 1-2** 가 5. 알맞은 목소리로 읽어요 **국어 1-2** 나 7. 무엇이 중요할까요
	4	여행	**국어 1-2** 가 2. 소리와 모양을 흉내 내요 **국어 1-2** 가 4. 바른 자세로 말해요 **국어 1-2** 나 8. 띄어 읽어요	**통합교과 여름 1-1** 3. 우리는 가족입니다 **통합교과 가을 1-2** 1. 내 이웃 이야기
	5	어휘 복습	**국어 1-2** 가 4. 바른 자세로 말해요 **수학 1-2** 3. 여러 가지 모양	**통합교과 가을 1-2** 1. 내 이웃 이야기 **통합교과 겨울 1-2** 2. 우리의 겨울

3주	일	주제	교과 및 연계 단원	
	1	운동 경기	국어 1-1 **가** 5. 다정하게 인사해요 통합교과 봄 1-1 1. 학교에 가면	통합교과 봄 1-1 2. 도란도란 봄 동산
	2	교통	국어 1-1 **나** 8. 소리 내어 또박또박 읽어요 국어 1-2 **가** 5. 알맞은 목소리로 읽어요	국어 1-2 **나** 10. 인물의 말과 행동을 상상해요 수학 1-1 1. 9까지의 수
	3	안전	국어 1-2 **가** 5. 알맞은 목소리로 읽어요 통합교과 봄 1-1 1. 학교에 가면	통합교과 가을 1-2 1. 내 이웃 이야기
	4	시간	국어 1-1 **나** 9. 그림일기를 써요 수학 1-2 5. 시계 보기와 규칙 찾기	통합교과 봄 1-1 1. 학교에 가면
	5	어휘 복습	국어 1-1 **나** 9. 그림일기를 써요 국어 1-2 **가** 1. 소중한 책을 소개해요	수학 1-2 5. 시계 보기와 규칙 찾기 통합교과 봄 1-1 1. 학교에 가면

4주	일	주제	교과 및 연계 단원	
	1	하루	국어 1-2 **나** 8. 띄어 읽어요	통합교과 겨울 1-2 2. 우리의 겨울
	2	일기	국어 1-2 **가** 3. 문장으로 표현해요 국어 1-2 **가** 5. 알맞은 목소리로 읽어요	국어 1-2 **나** 10. 인물의 말과 행동을 상상해요
	3	학교	국어 1-2 **가** 1. 소중한 책을 소개해요 국어 1-2 **가** 3. 문장으로 표현해요	통합교과 봄 1-1 1. 학교에 가면
	4	옛이야기	국어 1-2 **나** 9. 겪은 일을 글로 써요 국어 1-2 **나** 10. 인물의 말과 행동을 상상해요	통합교과 봄 1-1 1. 학교에 가면
	5	어휘 복습	국어 1-2 **가** 3. 문장으로 표현해요 수학 1-1 4. 비교하기	통합교과 봄 1-1 1. 학교에 가면 통합교과 가을 1-2 2. 현규의 추석

1주 정답

1일

📖 8~9쪽

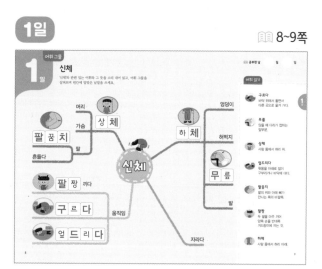

📖 10~11쪽

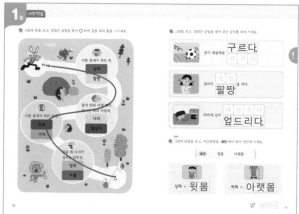

2일

📖 12~13쪽

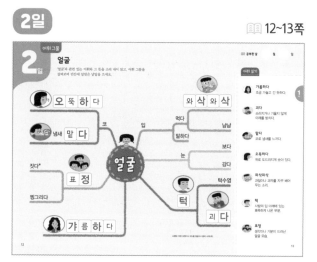

📖 14~15쪽

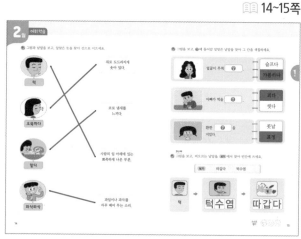

3일

📖 16~17쪽

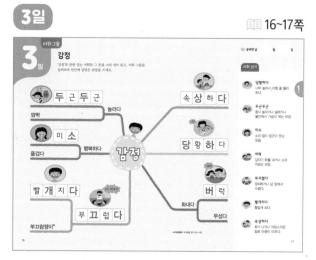

📖 18~19쪽

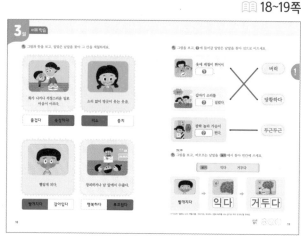

4일

📖 20~21쪽

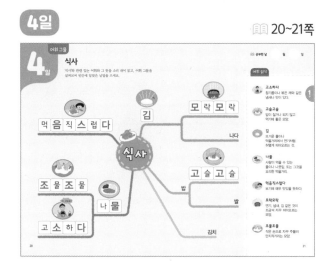

📖 22~23쪽

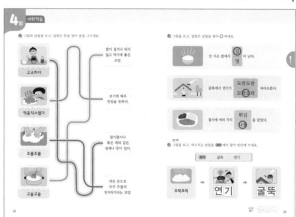

5일

📖 24~25쪽

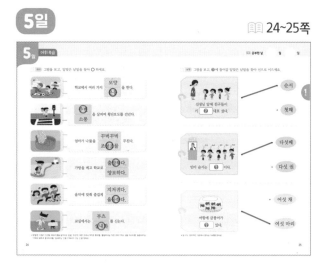

📖 26~27쪽

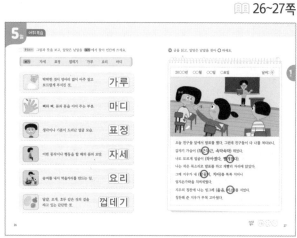

📖 28쪽

1일

📖 32~33쪽

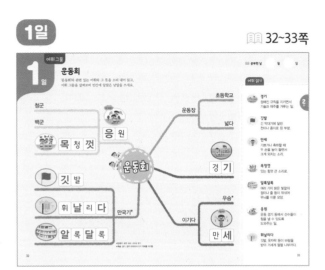

📖 34~35쪽

2일

📖 36~37쪽

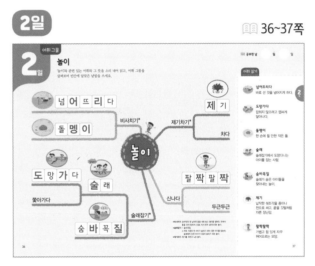

📖 38~39쪽

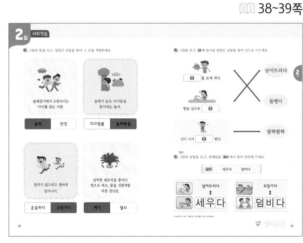

3일

📖 40~41쪽

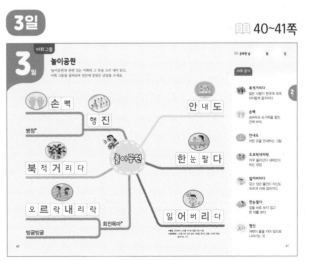

📖 42~43쪽

4일

📖 44~45쪽

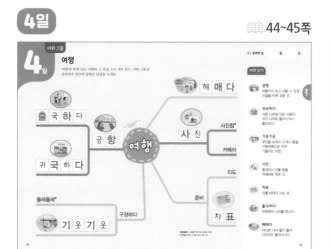

📖 46~47쪽

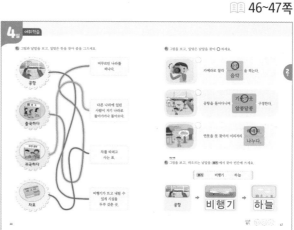

5일

📖 48~49쪽

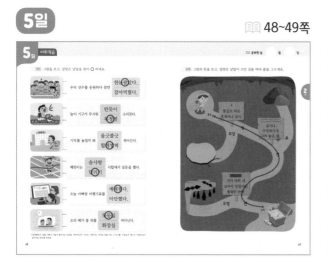

📖 50~51쪽

📖 52쪽

3주 정답

1일

📖 56~57쪽

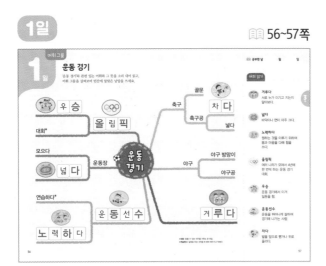

📖 58~59쪽

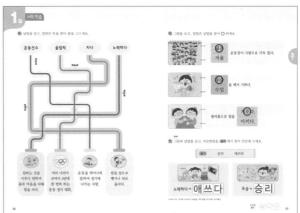

2일

📖 60~61쪽

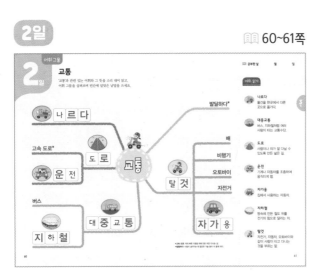

📖 62~63쪽

3일

📖 64~65쪽

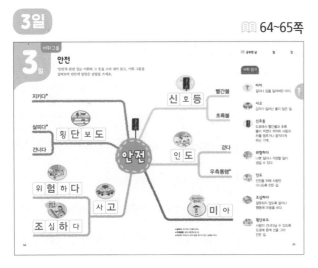

📖 66~67쪽

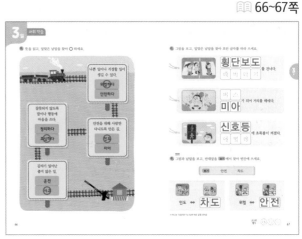

4일

📖 68~69쪽

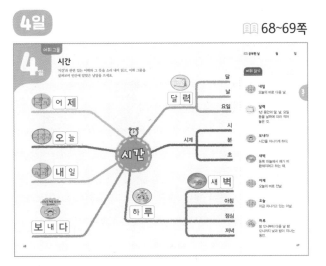

📖 70~71쪽

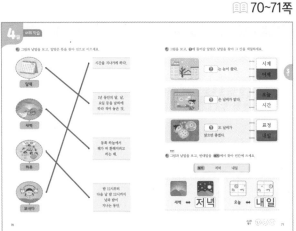

5일

📖 72~73쪽

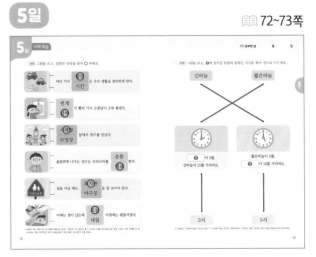

📖 74~75쪽

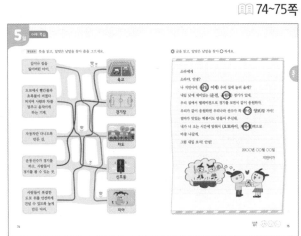

📖 76쪽

4주 정답

1일

📖 80~81쪽

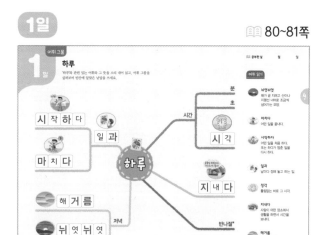

📖 82~83쪽

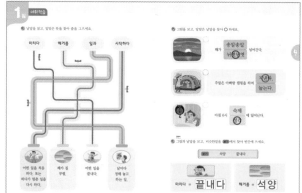

2일

📖 84~85쪽

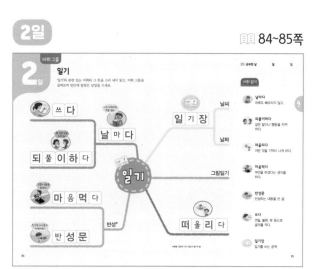

📖 86~87쪽

3일

📖 88~89쪽

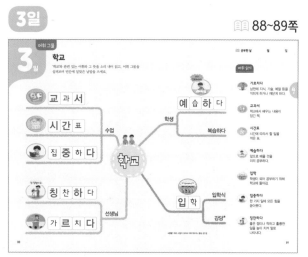

📖 90~91쪽

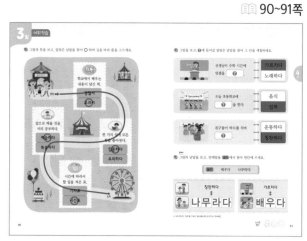

4일

📖 92~93쪽

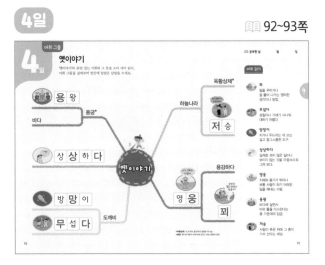

📖 94~95쪽

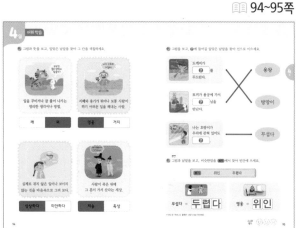

5일

📖 96~97쪽

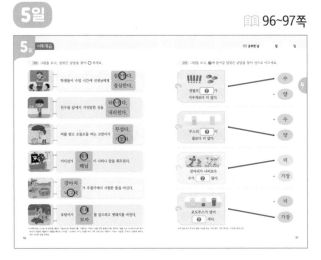

📖 98~99쪽

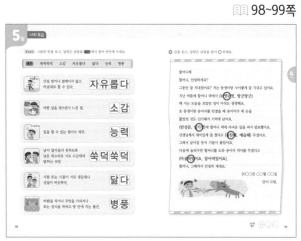

📖 100쪽

초등 메가 어휘력 어휘 주제표

예비 초등

구분	1권	2권	3권
1주	나	동물	신체
	가족	식물	얼굴
	유치원	음악	감정
	친구	미술	식사
2주	옷	일기 예보	운동회
	건강	무더위	놀이
	생활 도구	바다	놀이공원
	우리 동네	눈	여행
3주	건강한 생활	농장	운동 경기
	병원	농부	교통
	청소	직업	안전
	집	이웃	시간
4주	봄	명절	하루
	여름	예절	일기
	가을	우리나라	학교
	겨울	세계	옛이야기

초등

구분	초등 1~2학년			초등 3~4학년		
	1권	2권	3권	4권	5권	6권
1주	나	동물	방학	나	문학	한글
	가족	식물	편지	집	민주주의	일
	학교	곤충	공연	자연환경	날씨	공공 기관
	친구	질병	체험	전통 음식	문화유산	회의
2주	예절	시간	도서관	언어	시	쓰레기
	우리 동네	옛날	박물관	고장	명절	갯벌
	명절	환경	공룡	물질	환경 오염	자연재해
	우리나라	우주	자동차	교통과 통신	소설	전쟁
3주	성격과 감정	도구	바느질	측정	감각	물체
	우정	음악	요리	지도	경제	자석
	대화	미술	반려동물	지각	희곡	달
	친척	세계	장마	가족 행사	우주	과학자
4주	봄	농사	물놀이	가정	위인	여가
	여름	조상	자전거	음식	전통	배
	가을	작은 동물	낚시	절약	국가	교통사고
	겨울	화재	등산	의사소통	올림픽	에너지